本書の利用方法

1 解答時間を計って解く

　解き始めの時間と終了時間を必ずチェックし、解答時間を記録しておきます。時間を意識しないトレーニングは意味がなく、上達も期待できません。ただし、解き慣れていない人は、最初は制限時間を気にしないで自分のペースで最後まで解いてみることをお勧めします。この場合でも解答時間はチェックし、徐々に制限時間内の解答を目指すようにしてください。

2 チェック欄の利用方法

　目次には問題ごとにチェック欄を設けてあります。実際に問題を解いた後に、日付、得点、解答時間などを記入することにより、計画的な学習、弱点の発見ができます。

3 間違えた問題はもう一度解く

　間違えた問題をそのままにしておくと、後日同じような問題を解いたときに再度間違える可能性が高くなります。そのため、間違えた問題はなぜ間違えたのかを徹底的に分析して、二度と同じ間違いを繰り返さないように対策を考え、少し時期をずらしてもう一度解いて確認してください。

4 答案用紙の利用方法

　「答案用紙」は、ダウンロードでもご利用いただけます。Cyber Book Store（TAC出版書籍販売サイト）の「解答用紙ダウンロード」にアクセスしてください。

https://bookstore.tac-school.co.jp

目 次

2025年度版

TAC税理士講座

税理士受験シリーズ

12

法人税法

総合計算問題集 基礎編

TAC出版

TAC PUBLISHING Group

はじめに

　税理士試験における「法人税法」の計算問題は、奥行きが深いうえに難易度が高く、実務的計算力を試すようなものが多い。そのため、制限時間内に解答するための計算力はもとより、法令のほか取扱通達も理解することや種々の出題パターンに触れて慣れておくことなどが、税理士試験を突破するための前提条件となっている。

　そこで、本書は最近の出題傾向に対処できるように、次の点に留意して編集し、出題される可能性の高い問題を収録した。

１．過去の出題実績を分析し、出題の確率の高い基本項目については予想される出題パターンと主要な法令及び通達を体系的、網羅的に織り込んだ。

２．出題頻度は低くても出題可能性がある項目についてはすべて網羅するため、重要な法令及び通達をくまなく問題に取り込んだ。

３．問題と解答だけではなく「解答への道」を入れて、解答上のポイントや留意点を解説しており、受験生の盲点になりやすい箇所を指摘した。

ＴＡＣ税理士講座

本書の特長

1 総合計算問題に対する基礎力の養成

本書は、総合問題形式の問題を収載したトレーニング問題集です。基礎編は、総合問題を解くための基礎力の養成を主眼としています。

2 制限時間を明示

問題にはすべて標準的な解答時間を制限時間として付しています。制限時間内の解答を目標としてください。

3 最新の改正に対応

最新の税法等の改正等に対応しています。

（令和6年7月までの施行法令に準拠）

4 難易度を明示

問題ごとに、難易度を付しています。到達レベルにあわせて問題を選択することができます。

　Aランク…基本レベル

　Bランク…応用レベル

　Cランク…ハイレベル

5 出題形式、傾向と対策を掲載

「税理士試験の出題形式」と「出題内容の傾向と対策」を掲載しています。学習を進めるにあたっての指針にしてください。

また、詳細な出題内容については、最新の第74回（2024年実施）を含めた、「出題の傾向と分析」を掲載していますので、参考にしてください。

税理士試験の出題形式

第21回（昭和46年度）以降の税理士試験における出題形式は下記のようになっており、パターン別に、どんな仕組みになっていて、どのようにアプローチしたらよいのかをつかんでおく必要がある。

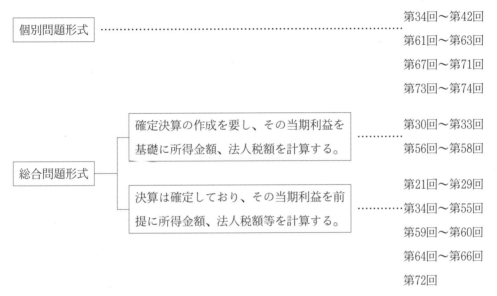

個別問題形式 ⋯⋯⋯⋯⋯⋯⋯⋯⋯⋯⋯⋯⋯⋯⋯⋯⋯⋯⋯⋯⋯ 第34回～第42回
第61回～第63回
第67回～第71回
第73回～第74回

総合問題形式

確定決算の作成を要し、その当期利益を基礎に所得金額、法人税額を計算する。 ⋯⋯⋯⋯⋯ 第30回～第33回
第56回～第58回

決算は確定しており、その当期利益を前提に所得金額、法人税額等を計算する。 ⋯⋯⋯⋯⋯ 第21回～第29回
第34回～第55回
第59回～第60回
第64回～第66回
第72回

（注）第52回及び第54回は所得金額が与えられている問題であった。

このような出題実績に基づいて今後どのような形式の問題が出題されるかを想定し、それらのパターンのすべてを経験し、練習しておくことが重要であろう。

出題内容の傾向と対策

　法人税法の計算問題は、量的にも質的にも高水準のレベルで出題されており、計算力のあるトップクラスの受験生でも完全に解答するのは容易ではないが、現在の受験生の成績や受験情報誌等の整備を考えれば、税理士試験の本質が競争試験である以上、これからもハイレベルな出題が続くと予想できる。

　しかし、出題形式が総合問題形式、個別問題形式のいずれであれ、出題内容は法人税法の法令及び通達、租税特別措置法の法令及び通達のうち、基本的であり、かつ実務上も重要な項目からの出題が多い。特に出題頻度の高い10項目は次のとおりである。

---

(1)　租税公課

(2)　減価償却（特別償却を含む）

(3)　交際費等の損金不算入

(4)　寄附金の損金不算入

(5)　貸倒損失・貸倒引当金

(6)　所得税額控除・受取配当等の益金不算入

(7)　役員給与（役員等の判定を含む）

(8)　同族会社等の判定・留保金課税

(9)　繰延資産

(10)　法人税額の特別控除

　直近10年間の実績を見てもこれらの基本項目からの出題が高い割合を占めている以上、出題確率の高い基本項目でミスをせず確実に得点することが合格のための秘訣となる。

　したがって、上記10項目は他の項目よりも時間を多くかけて、基礎をしっかり固めることが重要である。法令はもとより、通達の細部にも目を通し、それらの項目による出題には自信をもって対処できるように徹底的に整理し、反復しておくことが望まれる。一方、出題頻度の低いものについては基本項目とは異なり、基本算式の理解だけで解答できる程度の学習で充分であろう。

　出題形式が総合問題形式であっても個別問題形式であっても、これらの原点は一つ一つの個別の論点であり、その個別の論点の計算練習が正確な計算力とスピードを養成することとなるため、事前に十分な個別の計算練習を行うことが必要であることを肝に銘じてほしい。

（参考）出題の傾向と分析

計算問題について

① 過去の出題内容

内容 ＼ 回数	第60回	第61回	第62回	第63回	第64回	第65回	第66回	第67回	第68回	第69回	第70回	第71回	第72回	第73回	第74回
1. 収益、費用の計上時期（帰属時期の特例を含む）	○	○						○							
2. 受取配当等															
(1) 益金不算入額の計算			○		○	○				○	○	○		○	
(2) みなし配当			○	○						○		○		○	○
3. 有価証券															
(1) 譲渡原価、期末評価	○		○	○						○					
(2) 取得価額					○									○	
4. 減価償却															
(1) 超過額等の計算	○	○	○		○	○	○	○	○	○			○	○	○
(2) 中古資産							○		○						
5. 特別償却	○				○				○				○	○	
6. 繰延資産					○										
7. 評価損益					○						○				
8. 給　与	○		○			○	○	○	○	○	○	○	○	○	○
9. 寄附金	○	○	○		○		○					○	○	○	○
10. 交際費等	○	○	○		○	○		○						○	○
11. 租税公課（納税充当金含む）	○	○			○	○	○			○		○	○	○	○
12. 圧縮記帳															
(1) 国庫補助金														○	
(2) 保険差益											○				
(3) 交　換															
(4) 買換え				○					○						
(5) 収用等															
(6) 特定資産の交換															
13. 引当金															
(1) 貸倒引当金		○		○	○		○	○			○	○			○
(2) 退職給与引当金〔廃止〕															

内　容 ＼ 回数	第60回	第61回	第62回	第63回	第64回	第65回	第66回	第67回	第68回	第69回	第70回	第71回	第72回	第73回	第74回
14. 準備金					○									○	
15. 収用等の所得の特別控除															
16. 欠損金	○			○		○				○	○	○			○
17. 借地権															
18. リース取引			○			○				○					
19. 外貨建資産等													○		○
20. 法人税額の特別控除	○			○		○									
21. 留保金課税制度											○				
22. 所得税額控除			○			○	○			○	○	○		○	
23. 外国税額控除					○								○		
24. 移転価格税制															
25. グループ法人税制		○	○	○			○		○			○		○	○
26. 合併・解散の課税関係										○		○			
27. 別表5（一）		○	○	○		○		○	○			○			○
28. 別表5（二）		○													○
29. 企業組織再編成					○					○					

② 出題形式

　計算問題は、総合問題形式（1題若しくは2題）又は個別問題形式の出題が続いている。基本的には別表4及び別表5（一）の作成が中心となるが、寄附金や交際費等の計算明細（別表14、別表15）の記入を行わせる問題や、修正申告を行わせる問題が出題されたこともある。

　また、自ら決算整理仕訳を行い、当期利益を確定後に申告書別表4及び別表5（一）Ⅰを作成するという、いわゆる決算修正型（精算表型）の問題も過去何度か出題されている。

③ 傾向と対策

　最近の問題は、ボリュームは多いが、難易度の平易な問題が多い。

　したがって、第75回の試験も難易度の平易な問題が出題される可能性があるが、このような場合においては、特殊な論点で合否が決まるのではなく、基礎的論点をいかに正確に得点するかが重要なカギとなるであろう。そこで、対策としては過去の本試験での出題回数が多い項目や他の受験生も学習を積んでいる次のような項目から固めてゆくのが合理的である。

イ　減価償却

ロ　受取配当等

ハ　給与

ニ　寄附金

ホ　交際費等

ヘ　租税公課

ト　貸倒引当金

チ　法人税額の特別控除

リ　所得税額控除

ヌ　グループ法人税制

　また、上記以外の項目で、本試験において重要と思われる項目は次のとおりである。

イ　有価証券の譲渡原価、取得価額

ロ　外国税額控除

ハ　欠損金

　上記のことを参考にし、まず個別問題で各項目の基礎を固め、最終的に総合問題に対処できる力を身につけるよう心がけてください。

問題編

TAX ACCOUNTANT

問題 1

　内国法人甲株式会社（以下「当社」という。）は、製造業を営む期末資本金等の額40,000,000円（うち、資本金の額30,000,000円、資本準備金10,000,000円）の非同族会社（当社の期末利益積立金額は120,000,000円である。なお、当社の株主等のうちに資本金1億円を超える法人はおらず、従業員数は常時500人以下である。）である。当社の当期（令和7年4月1日～令和8年3月31日）の損益計算書末尾その他所得の金額等の計算に必要な事項は、下記〔資　料〕のとおりである。

　これに基づいて、当期の確定申告書に記載すべき課税標準である所得の金額及び法人税額を計算しなさい。なお、解答に当たっては、次の事項を前提として計算しなさい。

(1)　税法上適用される方法が2以上定められている事項については、当期分の法人税額が最も少なくなる方法によるものとする。

(2)　当社は設立第1期以後当期まで連続して青色申告書を提出し、かつ、必要な申告の記載、証明書類の添付、帳簿書類の記載及び保存等の手続はすべて適法に行うものとする。

(3)　解答に当たって補足すべき事項がある場合には、それを明記して解答するものとする。

〔資　料〕

1．損益計算書末尾

税引前当期純利益	560,514,118円
法人税、住民税及び事業税	284,070,000円
当　期　純　利　益	276,444,118円

2．所得の金額等の計算に必要な事項

(1)　租税公課に関する事項

①　当期分の確定申告により納付することとなる法人税及び地方法人税、事業税、県民税及び市民税の見積額の合計額247,132,900円（うち事業税は32,574,000円）を未払法人税等として当期の費用に計上している。

②　当期中において納付した前期分の確定申告に係る法人税及び地方法人税25,000,000円、事業税7,707,000円、県民税及び市民税5,225,000円については、前期に損金経理により計上した未払法人税等を取り崩す経理を行っており、前期に計上した未払法人税等の余剰額はない。

③ 当期中に費用計上して納付した租税には次のものがある。

イ	当期分中間申告法人税	24,249,500円
ロ	当期分中間申告地方法人税	2,497,600円
ハ	当期分中間申告事業税	6,000,000円
ニ	当期分中間申告県民税及び市民税	4,190,000円
ホ	印 紙 税	120,000円

(うち過怠税15,000円)

ヘ	固定資産税及び都市計画税	1,340,000円
ト	源泉所得税に係る不納付加算税	30,000円
チ	源泉所得税に係る延滞税	7,300円
リ	当社役員が業務中に犯した交通違反の反則金	120,000円

(2) 営業経費に関する事項

① 当期において交際費勘定に計上した金額19,790,500円には次のものが含まれている。なお、その他のものは租税特別措置法第61条の4に規定する交際費等に該当する。

イ	得意先を対象に実施した会議に際し茶菓、弁当の購入に通常要する費用	800,000円
ロ	得意先を旅行に招待した際に同行した当社社員の旅費	300,000円
ハ	神社の祭礼に係る町内会への寄附金	1,000,000円
ニ	取引先との接待飲食費（1人当たり10,000円を超えるもの）	2,500,000円

② 令和8年3月25日に得意先を料亭で接待した費用500,000円（1人当たり50,000円である。）は、同年4月10日に支払っているが当期末現在未払いであり、当期の決算上費用に計上されていない。なお、この費用は、福利厚生費又は会議費として通常要する費用に該当するものではない。

③ 当期において寄附金勘定に計上した金額は34,220,000円で、その内訳は次のとおりである。

イ	地方公共団体に対するもの	2,500,000円
ロ	日本学生支援機構に対するもの（学資の貸与に充てられるもの。）	700,000円
ハ	日本商工会議所に対するもの（期末現在未払いである。）	600,000円
ニ	私立高校に対するもの（前期に仮払処理していたものを当期に消却したものである。）	
		420,000円
ホ	関連会社に対して土地（取得日平成12年7月20日、帳簿価額30,000,000円、贈与時の価額90,000,000円）を当期の9月7日に贈与したことによる帳簿価額相当額	30,000,000円

④ 上記③のほか、当期に支出し仮払金に計上した都道府県共同募金会に対する寄附金（赤い羽根）220,000円がある。

⑤ 当期において消耗品費に計上した金額900,000円がある。

これは、当期中の10月15日に1個当たり90,000円のB器具備品（耐用年数5年）を10個

購入したものであり、直ちに事業の用に供している。なお、当該B器具備品は通常10個1組で販売されるものである。

(3) 減価償却に関する事項

① 当期において計上した償却費等の内訳は次のとおりである。

種　　類	取得価額	当期償却費	期末帳簿価額	耐用年数	備　　考
C　建　物	30,000,000円	1,000,000円	19,293,000円	26年	前期以前に生じた償却超過額が230,000円ある。
D　車　両	3,000,000円	50,000円	100,000円	6年	前期末に帳簿価額が取得価額の5％に達している。
E機械装置	5,000,000円	745,716円	4,254,284円	5年	令和8年3月12日取得事業供用

（注1）C建物及びD車両は平成19年3月31日以前に取得・事業供用されたものである。

（注2）E機械装置（製作後事業の用に供されたことはない。）は、租税特別措置法第42条の6第1項に規定する特定機械装置等に該当し、当社は、特別控除を適用するものとする。なお、据付費200,000円を支出しているが、雑費として処理している。

② 当社が選定し、届け出た償却方法（建物…旧定額法又は定額法、建物以外の減価償却資産…旧定率法又は定率法）に係る償却率は次のとおりである。なお、償却方法の変更は行っていない。

イ　減価償却資産の旧定額法、旧定率法、定額法及び定率法（平成19年4月1日〜平成24年3月31日取得分）の償却率、改定償却率及び保証率の表

	5年	6年	26年
旧定額法	0.200	0.166	0.039
定　額　法	0.200	0.167	0.039
旧定率法	0.369	0.319	0.085
定　率　法	0.500	0.417	0.096
改定償却率	1.000	0.500	0.100
保　証　率	0.06249	0.05776	0.01989

ロ　平成24年4月1日以後に取得をされた減価償却資産の定率法の償却率、改定償却率及び保証率の表

	5 年	6 年	26 年
償　却　率	0.400	0.333	0.077
改定償却率	0.500	0.334	0.084
保　証　率	0.10800	0.09911	0.02716

(4)　受取配当等に関する事項

当期において収受した利子配当等の額は次のとおりであり、手取額を当期の収益に計上している。

銘　柄　等	計算期間	配当等の額	源泉所得税額等
Ｆ　株　式　配　当	Ｒ7.1.1〜Ｒ7.12.31	600,000円	122,520円
Ｇ証券投資信託	Ｒ7.1.1〜Ｒ7.12.31	1,000,000円	153,150円
Ｈ　預　金　利　子	———	300,000円	45,945円

（注1）源泉所得税額等は、所得税及び復興特別所得税の合計額である。

（注2）Ｆ株式に係る配当は、定時株主総会の決議による配当でありその基準日を毎年12月31日としている。なお、元本は令和7年4月10日に取得して以来異動はなく、所有割合は取得以来20%である。

（注3）Ｇ証券投資信託は、主に国内の株式に対する投資として運用するものである。なお、元本は数年前より異動はない。

（注4）当社は当期までに完全子法人株式等及び関連法人株式等を取得したことはない。また、当社は売買目的有価証券も取得したことがない。

(5)　上記以外の事項については考慮する必要はない。

⇨解答：53ページ

制限時間	40分
難易度	A

問題2

　内国法人甲株式会社（以下、「当社」という）は、製造業を営む非同族会社である。当社の当期（令和7年4月1日から令和8年3月31日まで）の損益計算書末尾その他の所得の金額等の計算に必要な事項は、下記〔資料〕のとおりである。

　これに基づいて、当期の確定申告書に記載すべき課税標準である所得の金額及び法人税額を計算しなさい。

　なお、解答に当たっては、次の事項を前提として計算しなさい。

(1)　税法上適用される方法が2以上定められている事項については、当期分の法人税額が最も少なくなる方法によるものとする。

(2)　当社は設立第1期から3月末決算法人であり、当期まで連続して青色申告書を提出し、かつ、必要な申告の記載、証明書類の添付等の手続はすべて適法に行うものとする。

(3)　解答に当たって補足すべき事項がある場合には、これを明記して解答するものとする。

(4)　消費税及び税効果会計については考慮しなくてよい。

〔資料〕

1．損益計算書末尾

税引前当期純利益	229,086,484円
法人税、住民税及び事業税	57,280,000円
当期純利益	171,806,484円

2．租税公課等に関する事項

(1)　当期分の確定申告により納付することとなる法人税、地方法人税、事業税、県民税及び市民税の見込額の合計額35,952,000円を未払法人税等として当期の費用に計上している。

(2)　当期中に納付した前期分の確定申告に係る法人税及び地方法人税23,462,000円、事業税5,666,000円、県民税及び市民税3,754,000円については、前期に費用に計上した未払法人税等を取り崩す経理を行っている。

(3)　当期中に納付した次の租税については、当期の費用に計上している。

①	当期中間申告分の法人税	12,304,700円
②	当期中間申告分の地方法人税	1,267,300円
③	当期中間申告分の事業税	5,130,000円
④	当期中間申告分の県民税及び市民税	2,626,000円
⑤	固定資産税	226,000円

3．資産の買換えに関する事項

(1) 当期の5月15日に当社が所有する土地A（国内に所在、取得価額31,000,000円、面積1,000㎡）を100,000,000円で譲渡し、譲渡対価を収益計上するとともに、譲渡原価として譲渡直前の帳簿価額31,000,000円を計上した。

なお、この譲渡した土地Aは平成12年2月に取得した倉庫用地で、当期において譲渡のために倉庫を取り壊し、取壊し直前の帳簿価額2,600,000円及び取壊し費用400,000円を費用に計上している。

(2) 当社は当期の1月26日に国内にある土地B（面積5,800㎡）を145,000,000円で取得し、直ちに事業の用に供している。

(3) 当社は上記(2)の土地Bにつき租税特別措置法第65条の7《特定の資産の買換えの場合の課税の特例》に規定する要件を満たすため圧縮記帳を実施し、土地圧縮積立金60,000,000円を確定した決算において剰余金の処分により積み立てた。

4．減価償却に関する事項

(1) 当期末における減価償却資産のうち検討を要するものは、次のとおりである。なお、繰越償却超過額はない。

種　　類	取得価額	当期償却費	期末簿価	耐用年数	事業供用日
建　物　C	12,000,000円	111,250円	11,888,750円	17年	令8．2．23
機械装置D	90,000,000円	17,690,625円	70,434,375円	10年	令7．1．1
器具備品E	4,200,000円	661,000円	914,000円	8年	令2．4．9
器具備品F	3,000,000円	370,000円	352,750円	8年	平31．3．20
特　許　権	1,800,000円	382,500円	1,417,500円	8年	令7．10．6

（注1）建物Cの購入に際して支出した購入手数料1,500,000円は費用処理した。

（注2）機械装置Dは、租税特別措置法第42条の6に規定する特定機械装置等に該当するものであり、当社は前期の確定した決算において特別償却準備金28,000,000円（うち積立超過額1,000,000円）を剰余金の処分により積み立てているが、当期の確定した決算において剰余金の処分により特別償却準備金4,000,000円の取崩しを行っている。

（注3）器具備品E及びFは、構造・用途及び細目が同一である。

(2) 当社は、減価償却資産に関する償却方法の選定・届出について、器具備品について定額法を選定しているほかは、届出を行っていない。

(3) 減価償却資産の定額法及び定率法（平成19年4月1日〜平成24年3月31日取得分）の償却率、改定償却率及び保証率の表

	8年	10年	17年
定 額 法	0.125	0.100	0.059
定 率 法	0.313	0.250	0.147
改定償却率	0.334	0.334	0.167
保 証 率	0.05111	0.04448	0.02905

(4) 平成24年4月1日以後に取得をされた減価償却資産の定率法の償却率、改定償却率及び保証率の表

	8年	10年	17年
償 却 率	0.250	0.200	0.118
改定償却率	0.334	0.250	0.125
保 証 率	0.07909	0.06552	0.04038

5．収用等に関する事項

(1) 令和7年6月2日に当社が所有する土地G（昭和63年5月2日に取得したもの）につき、公共事業施行者より買取りの申出を受けた。その申出を拒むときは、土地収用法等の規定に基づき収用されることになるので、令和7年7月18日に60,000,000円（譲渡直前の会計上の帳簿価額は10,000,000円であり、評価益否認額500,000円がある。）で譲渡した。なお、譲渡経費として800,000円を支出している。

(2) 当社は上記(1)の譲渡について、代替資産を取得する見込みはなく、令和7年においてこのほかに収用等された資産はない。

6．受取配当等に関する事項

(1) 当期中に支払を受けた利子・配当等の内訳は次のとおりである。当社は手取額を収益に計上している。

区 分	配当等の計算期間	配当等の額	備考
H株式（剰余金の配当）	2024.10.1〜2025.9.30	4,500,000円	(2)参照
I株式（剰余金の配当）	令6.5.1〜令7.4.30	87,500円	(3)参照

(2) H株式の発行法人であるH株式会社は、Q国に本店を有する法人であり、当社はH株式会社の発行済株式総数の10%を数年来保有している。なお、源泉徴収税額450,000円が、Q国

において源泉徴収されている。

(3) Ｉ株式は完全子法人株式等に該当するものであり、当社は数年前の設立以来Ｉ株式の発行法人である内国法人Ｉ株式会社の発行済株式総数の全てを保有している。なお、源泉徴収税額はない。

(4) 当社は売買目的有価証券を所有していない。

7．その他の事項

(1) 当社の当期末における資本金の額は8,000万円である。

(2) 上記以外の事項については考慮する必要はない。

⇨解答：61ページ

　甲株式会社（以下、「当社」という）は卸売業を営む内国法人（非同族会社に該当し、株主はすべて個人である。）である。当社の当期（令和7年4月1日から令和8年3月31日まで）の損益計算書末尾その他の所得の金額等の計算に必要な事項は、下記〔資　料〕のとおりである。

　これに基づいて、当期の確定申告書に記載すべき課税標準である所得金額及び法人税額を計算しなさい。

　なお、解答に当たっては、次の事項を前提として計算しなさい。

(1)　税法上適用される方法が2以上定められている事項については、当期分の法人税額が最も少なくなる方法によるものとする。

(2)　当社は設立第1期から当期まで連続して青色申告書を提出し、かつ、必要な申告の記載、証明書類の添付、帳簿書類の記載及び保存等の手続はすべて適法に行うものとする。

(3)　当社の期末資本金等の額は78,000,000円（うち、期末資本金の額は60,000,000円、資本準備金の額は18,000,000円）である。

〔資　料〕

1．損益計算書末尾

税 引 前 当 期 純 利 益	109,137,571円
法人税、住民税及び事業税	48,778,000円
当 　期 　純 　利 　益	60,359,571円

2．所得の金額等の計算に関する事項

(1)　租税公課等に関する事項

　①　当期分の確定申告により納付することとなる法人税、地方法人税、事業税、県民税及び市民税の見積額の合計額は26,359,200円であり、この金額を未払法人税等として当期の費用に計上している。

　②　当期中に納付した諸税額のうち、次のものについては前期の費用に計上した未払法人税等を取り崩す経理を行っている。

イ　前期分確定申告法人税及び地方法人税		25,200,000円
ロ　前期分確定申告事業税		5,683,000円
ハ　前期分確定申告県民税及び市民税		2,921,000円

　③　当期中に納付した次の租税公課は当期の費用に計上している。

イ　当期分中間申告法人税		12,494,000円
ロ　当期分中間申告地方法人税		1,286,800円
ハ　当期分中間申告事業税		5,956,000円

ニ	当期分中間申告県民税及び市民税	2,682,000円
ホ	固定資産税	3,500,000円
ヘ	自動車税	1,200,000円
ト	印紙税（うち過怠税52,000円を含む。）	2,650,000円
チ	役員が業務外に犯した交通違反に係る交通反則金	200,000円
リ	上記②イに係る延滞税	20,000円
ヌ	上記②ロ及びハに係る納付遅延による延滞金	178,000円

(2) 債権に関する事項

① 当社が当期末において有する債権は、次のとおりである。

イ 売掛金 　　50,000,000円

（注）X社に対する売掛金が5,000,000円含まれているが、同社には借入金が6,000,000円ある。

ロ 受取手形 　　35,000,000円

（注）X社に対する受取手形が 1,200,000円含まれている。

ハ 貸付金 　　25,000,000円

ニ 未収金 　　 8,000,000円

（注）土地の譲渡対価に係る未収金7,800,000円と仕入割戻しに係る未収金200,000円の合計額である。

② 原則法による実質的に債権とみられないものの額は、次のとおりである。

事 業 年 度	一括評価金銭債権の額	原則法による実質的に債権とみられないものの額
平成27. 4. 1～平成28. 3.31	157,100,000円	3,430,000円
平成28. 4. 1～平成29. 3.31	154,220,000円	7,155,000円

③ 最近の各事業年度における貸倒損失等の状況は、次のとおりである。

事 業 年 度	一括評価金銭債権の額	貸倒損失の額
令和4. 4. 1～令和5. 3.31	155,120,000円	1,583,000円
令和5. 4. 1～令和6. 3.31	149,500,000円	1,210,000円
令和6. 4. 1～令和7. 3.31	135,830,000円	1,523,500円
合　　　　計	440,450,000円	4,316,500円

④ 前期に損金経理により繰り入れた一括評価金銭債権に係る貸倒引当金は2,200,000円（うち繰入超過額273,250円）であり、当期に全額を戻し入れ、収益に計上している。

⑤ 当期に損金経理により繰り入れた一括評価金銭債権に係る貸倒引当金勘定の金額は

1,300,000円である。

(3) 減価償却に関する事項

減価償却資産及び償却の明細は次のとおりである。((4)に掲げるものを除く。)

区　　分	償却費計上額	事業供用年月日	取 得 価 額	期末帳簿価額	耐用年数
器具備品A	3,500,000円	H24.3.5	40,000,000円	12,000,000円	10年
器具備品B	5,102,666円	R7.5.15	26,000,000円	20,897,334円	10年

① 器具備品A及びBは構造、用途及び細目が同一である。なお、器具備品Aには繰越償却超過額はない。

② 当社は減価償却方法につき定率法を選定し届け出ている。

③ 定率法（平成19年4月1日～平成24年3月31日取得分）の償却率、改定償却率及び保証率の表

	10年
償　却　率	0.250
改定償却率	0.334
保　証　率	0.04448

④ 平成24年4月1日以後に取得をされた減価償却資産の定率法の償却率、改定償却率及び保証率の表

	10年
償　却　率	0.200
改定償却率	0.250
保　証　率	0.06552

(4) 保険差益に関する事項

① 当期の9月3日に失火により倉庫用建物1棟（焼失直前の帳簿価額は8,400,000円であるが、繰越償却超過額1,425,000円がある。）が全焼し、保険金45,000,000円を収入した。同時に、倉庫内にあった棚卸商品（焼失直前の帳簿価額6,000,000円）の全焼によって保険金9,000,000円を収入した。これらの保険金額と帳簿価額との差額の合計額39,600,000円は保険差益として収益に計上している。なお、火災に伴って支出した消防費600,000円、焼跡の整理費480,000円及び類焼者賠償金390,000円を費用に計上している。

② 上記①の焼跡に建物D1棟（取得価額40,500,000円、耐用年数50年、定額法償却率0.020）を新築し、当期の12月16日より事業の用に供した。この建物について損金経理により建物圧縮損36,000,000円及び減価償却費178,649円を計上した。なお、このほかに代替資産の取得はないものとする。

(5) 受取配当等に関する事項

当期中に収受した受取配当等の内訳は、次のとおりであり、手取額を収益に計上している。

銘　　　柄	区　　分	計　算　期　間	配当等の額	源泉徴収所得税額等
Ｅ　株　　式	期末配当	Ｒ６.４.１～Ｒ７.３.31	1,050,000円	―
Ｆ　株　　式	期末配当	Ｒ７.２.１～Ｒ８.１.31	482,500円	98,526円
Ｇ証券投資信託	収益分配金	Ｒ７.１.１～Ｒ７.12.31	300,000円	61,260円
Ｈ公社債投資信託	収益分配金	Ｒ６.５.１～Ｒ７.４.30	200,000円	30,630円

（注１）源泉徴収所得税額等は所得税額及び復興特別所得税額の合計額である。

（注２）計算期間中に所有株式数が異動しているのはＥ株式だけであり、その異動状況は次のとおりである。なお、有価証券の譲渡原価の処理は適正に行われている。

イ　令和６年３月31日現在所有株式数　　　　　32,000株（発行済株式数の40％）

ロ　令和７年３月25日に取得した株式数　　　　8,000株（Ｅ株式の発行法人の増資によるものではない）。

（注３）Ｅ株式に係る期末配当は、定時総会の決議による配当であり、その基準日を毎年３月31日としている。

Ｆ株式に係る期末配当は、定時総会の決議による配当であり、その基準日を毎年１月31日としている。

（注４）当社の所有する有価証券は、すべて売買目的有価証券に該当しない。また、Ｇ証券投資信託は主に国内の株式で運用しているものである。なお、Ｆ株式の保有割合は取得以来５％以下である。

（注５）当期に費用計上した負債利子等の額は2,290,000円であり、このうちには売上割引料250,000円が含まれている。

(6) その他の事項

①　令和７年９月27日に当社社名入りの営業用自動車（耐用年数５年）を小売店に贈与し、その取得価額相当額1,800,000円を広告宣伝費として処理している。

②　上記の事項以外については、考慮しなくてよい。

⇨解答：68ページ

問 題 4

　内国法人である甲社（以下「当社」という。）は電気機器の製造業を営む非同族会社（株主はすべて個人）である。当社の当期末における資本金等の額は180,000,000円（うち、資本金の額100,000,000円）であり、当期（令和7年4月1日から令和8年3月31日まで）の所得の金額等の計算に必要な事項は下記のとおりである。なお、資本金等の額は数年来異動がない。

　これに基づいて当期の確定申告書に記載すべき課税標準である所得の金額及び法人税額を計算するとともに別表5（一）Ⅰを完成させなさい。

　なお、解答に当たっては、次の事項を前提として計算しなさい。

(1)　税法上適用される方法が2以上ある事項については、当期の法人税額が最も少なくなる方法によるものとする。

(2)　当社は、設立第1期から当期まで引き続き青色申告書を提出しており、かつ、必要な申告の記載及び証明書類の添付、帳簿書類の記載及び保存等の手続は、すべて適法に行うものとする。

(3)　解答に当たって補足すべき事項がある場合には、それを明記して解答するものとする。

(4)　消費税及び税効果会計については考慮する必要はない。

〔資　料〕

1．当期の確定した決算に関する事項

　　当期の確定した決算における当期純利益は124,900,085円であり、当期に係る株主総会の決議により利益剰余金を原資として支払われる予定の配当金の額は45,000,000円である。また、前期以前数年の間、配当金の支払は行われていなかった。

2．所得の金額等の計算に関する事項

(1)　租税公課等に関する事項

①　当期分の確定申告により納付することとなる法人税、地方法人税、事業税及び住民税の見積額の合計額32,740,000円を未払法人税等として当期の費用に計上している。

②　当期中に納付した前期分の確定申告に係る法人税及び地方法人税42,700,000円、事業税5,762,000円及び住民税5,000,000円については、前期に費用に計上した未払法人税等を取り崩す経理を行っている。

③　当期中に次の租税を納付して、当期の費用に計上している。

イ	当期中間申告分法人税	37,900,000円
ロ	当期中間申告地方法人税	3,860,000円
ハ	当期中間申告分事業税	9,500,000円
ニ	当期中間申告分住民税	8,240,000円
ホ	固　定　資　産　税	100,000円

ヘ　印紙税（うち、過怠税27,000円）　　　　　　　　　　　　　48,000円

　　　ト　源泉所得税に係る不納付加算税　　　　　　　　　　　　　　54,400円

(2)　資産の交換に関する事項

　　　当社は令和7年10月27日に次に掲げる土地付建物を取引先である丙社と交換し、交換取得資産は同日において従来と同一の用途に供した。交換取得資産については、土地、建物ともに交換譲渡資産の帳簿価額をそのまま付し、交換差金は収益に計上した。また、譲渡経費は費用に計上している。

区　　分	交　換　譲　渡　資　産 (注1)		交換取得資産 (注2)	譲渡経費
	時　　価	帳簿価額	時　　価	
土　　地	123,000,000円	54,000,000円	95,000,000円	
建　　物 (事務所用)	17,000,000円	12,000,000円	16,000,000円	
現　　金			29,000,000円	4,200,000円
合　　計	140,000,000円	66,000,000円	140,000,000円	4,200,000円

（注1）交換譲渡資産は8年前に取得したものである。

（注2）交換取得資産は、土地及び建物のいずれも相手先である丙社が数年前に取得したものであり、交換のために取得されたものではない。

(3)　減価償却に関する事項

①　減価償却の方法は届け出ていない。

②　減価償却費として当期の費用に計上した金額等は、次のとおりである。

種　　類	当期償却費	取得価額	期末帳簿価額	耐用年数	事業供用日
建　　物	1,690,600円	12,000,000円	10,309,400円	32年	令7.10.27
機 械 装 置 A	9,616,667円	20,000,000円	10,383,333円	10年	令7.6.7
機 械 装 置 B	14,100,000円	30,000,000円	15,900,000円	10年	令7.6.27
ソフトウエア	506,275円	3,500,000円	2,025,100円	5年	令6.7.7
器 具 備 品 C	280,000円	280,000円	0円	5年	令7.4.8
器 具 備 品 D	99,274円	4,000,000円	366,212円	10年	（注5）参照

（注1）建物は(2)の交換により取得したものである。

（注2）機械装置A及び機械装置Bは設備の種類、細目が同一であるが、いずれも租税特別措置法第42条の6《中小企業者等が機械等を取得した場合の特別償却又は法人税額の特別控除》に規定する特定機械装置等に該当する。

（注３）ソフトウェアは租税特別措置法第42の６《中小企業者等が機械等を取得した場合の特別償却又は法人税額の特別控除》に規定する特定機械装置等に該当するため、前期（令和６年４月１日〜令和７年３月31日）の確定した決算において剰余金の処分により特別償却準備金1,575,000円（積立超過額525,000円がある。）を積み立てた。

　　なお、当社は当期の確定した決算において剰余金の処分により特別償却準備金315,000円を取り崩している。

（注４）器具備品Ｃの取得のための費用30,000円が当期の費用に計上されている。

（注５）器具備品Ｄは平成19年３月31日以前に取得し、事業供用している。

（注６）減価償却資産の旧定額法、旧定率法、定額法及び定率法（平成19年４月１日〜平成24年３月31日取得分）の償却率、改定償却率及び保証率の表。

	５年	10年	32年
旧定率法償却率	0.369	0.206	0.069
定率法償却率	0.500	0.250	0.078
改定償却率	1.000	0.334	0.084
保　証　率	0.06249	0.04448	0.01655
旧定額法償却率	0.200	0.100	0.032
定額法償却率	0.200	0.100	0.032

（注７）平成24年４月１日以後に取得をされた減価償却資産の定率法の償却率、改定償却率及び保証率の表。

	５年	10年	32年
償　却　率	0.400	0.200	0.063
改定償却率	0.500	0.250	0.067
保　証　率	0.10800	0.06552	0.02216

(4) 受取配当等に関する事項

当期中に収受した配当等の額は次のとおりであり、当社は手取額を収益に計上している。

区　　分	銘柄等	計　算　期　間	配当等の額	源泉徴収所得税額等
剰余金の配当	Ｅ社株式	令６. ４. １〜令７. ３. 31	500,000円	102,100円
収益分配金	受益権	令６. ８. １〜令７. ７. 31	450,000円	68,917円
預金利子	定期預金	────	320,000円	49,008円

（注１）源泉徴収所得税額等は所得税額及び復興特別所得税額の合計額である。

（注２）Ｅ社株式に係る配当は、定時株主総会の決議による配当であり、その基準日を毎年３月31日としている。

　　なお、Ｅ社株式は令和５年４月に100,000株を@800円で取得し、継続して所有してきたが、令和７年12月20日に50,000株を@950円で買い増し、令和８年１月20日に50,000株を50,000,000円で譲渡しており、当期に取得した株式の取得単価@950円を基礎に譲渡原価を計算している。

　　また、Ｅ社株式の発行法人である内国法人Ｅ株式会社の発行済株式数は3,500,000株である。

（注３）収益分配金は、租税特別措置法第３条の２に規定する特定株式投資信託の受益権に係る分配金である。当社は、この受益権を平成24年６月１日に取得して以来元本の異動はない。

（注４）当社は、有価証券の帳簿価額の算出方法を選定しておらず、売買目的有価証券を保有したことはない。

(5) 土地の譲渡等に関する事項

①　当社所有の土地（帳簿価額13,000,000円）につき、Ｇ市より買取りの申出を令和７年１月18日に受けた。この申出を拒むときは、土地収用法等の規定に基づき収用されるので、令和７年３月18日に対価補償金32,000,000円を取得し、帳簿価額との差額を収益に計上している。また、譲渡経費400,000円を支出し、費用に計上している。当社は、前期においてこの収用につき租税特別措置法第65条の２第１項に規定する収用等の所得の特別控除を受けている。

②　当期中の令和７年５月27日にＨ県に土地収用法等の規定に基づき土地（帳簿価額12,000,000円）が収用され、対価補償金25,000,000円を取得し、帳簿価額との差額を当期の収益に計上した。なお、譲渡経費として724,000円を支出し、当期の費用に計上している。

③　上記①及び②は、いずれも買取りの申出のあった日から６カ月以内に譲渡されており、②につき代替資産を取得するつもりはない。

(6)　交際費等に関する事項

　　当期において交際費勘定に計上した金額は9,835,000円であり、そのうちには次のものが含まれている。

① 当社の社名入りカレンダー、手帳の贈答費用として通常要する費用 　　470,000円

② 得意先を料亭で接待した際の飲食費（参加人数は5人である。） 　　100,000円

③ 前期仮払交際費の当期消却額 　　265,000円

④ 得意先との商談に際し要した食事代として通常要する費用 　　200,000円

(7)　その他の事項

① 当期の確定申告分に係る地方法人税の額は、1,759,100円であるものとする。

② 当社の従業員数は、常時500人以下である。

③ 上記以外については考慮する必要はない。

⇨解答：76ページ

問題
4

問
題

問題5

　電気機器の製造業を営んでいる甲株式会社（以下、「当社」という。）の当期（令和7年4月1日から令和8年3月31日まで）の所得の金額等の計算に必要な事項は、下記〔資　料〕のとおりである。

　これに基づいて、当期の確定申告書に係る【別表4】、【別表1】、【別表5（一）のⅠ】及び【別表5（二）】を完成させなさい。

　なお、解答に当たっては、次の事項を前提として計算しなさい。

(1)　税法上適用される方法が2以上定められている事項については、当期分の法人税額が最も少なくなる方法によるものとする。

(2)　当期において青色申告書を提出し、かつ、必要な申告の記載、証明書類の添付、帳簿書類の記載及び保存等の手続はすべて適法に行うものとする。

(3)　取締役に対する賞与及び監査役に対する給与については、納税地の所轄税務署長に対して、法人税法施行規則第22条の3（確定額による役員給与の届出書の記載事項）に規定する事項すべてを記載した届出書を適法に提出している。

(4)　解答に当たって補足すべき事項がある場合には、それを明記して解答するものとする。

〔資　料〕

　1．当期の確定した決算に関する事項

　　　当期の確定した決算における当期純利益は56,174,072円であり、当期の決算に係る定時株主総会の決議により利益剰余金を原資として支払う配当金の額は30,000,000円である。

　　　なお、前期（令和6年4月1日から令和7年3月31日まで）の決算に係る定時株主総会の決議により利益剰余金を原資として支払った配当金の額は15,000,000円である。

　2．所得の金額等の計算に関する事項

　　(1)　株主、役員等及び給与に関する事項

　　　　　当社の当期末現在の株主、役員等及び給与の支給状況は次のとおりである。

氏名・役職名等	続柄等	持株数	給　与　の　支　給　額		職務内容からした相当額
A代表取締役社長	本　人	250,000株	役員分	月800,000円×12＋賞与3,200,000円×1	12,500,000円
B専務取締役	Aの姉	20,000株	役員分	月800,000円×12＋賞与2,400,000円×1	12,000,000円
C取締役営業部長	Aの弟	10,000株	役員分	月500,000円×12＋賞与2,000,000円×1	8,675,000円
			使用人分	月250,000円×12＋賞与1,000,000円×1	
D経理部長	Aの妻	15,000株	使用人分	月400,000円×12	4,500,000円
E監査役	Aの友人	5,000株	役員分	1,000,000円×2	2,000,000円
発行済株式総数		300,000株	―――		―――

（注１）給与の支給額はいずれも損金経理しており、取締役に対する給与の支給額は毎期定時株主総会の決議により定めている。

（注２）Ｃ取締役営業部長は常時使用人としての職務に従事している。なお、使用人兼務役員の使用人分給与として相当と認められる金額は3,500,000円である。

また、Ｃ取締役営業部長の使用人分賞与は、他の使用人と同一時期に支給している。

（注３）Ｄ経理部長は、事実上経営に従事している。

（注４）当社は定款において、１事業年度当たりの取締役給与の総額を使用人兼務役員の使用人分を含めないで32,000,000円以内、監査役給与の総額を3,000,000円以内と定めている。

(2) 租税公課に関する事項

① 納税充当金の異動状況は次のとおりである。

なお、表中の法人税には地方法人税が含まれている。

区　　分	期首現在額	期中減少額	期中増加額	期末現在額
法　人　税	5,745,200円	5,745,200円		
住　民　税	990,000円	990,000円		
事　業　税	2,354,800円	2,354,800円		
計	9,090,000円	9,090,000円	33,329,600円	33,329,600円

（注１）期首現在額及び期中増加額はいずれも前期及び当期において損金経理により引き当てたものである。

（注２）期中減少額は前期確定法人税額等を納付するために取り崩したものである。

② 当期中に損金経理により支出した租税公課は次のとおりである。

イ	当期中間申告法人税	3,880,700円
ロ	当期中間申告地方法人税	399,700円
ハ	当期中間申告住民税	730,000円
ニ	当期中間申告事業税	1,450,000円
ホ	上記イ及びロに係る延滞税	130,000円
ヘ	上記ハ及びニに係る延滞金	60,000円

（すべて納付遅延に係るものである。）

ト	役員が業務中に課された交通反則金	200,000円

(3) 配当等に関する事項

① 当期中に内国法人から収受した配当等の額は次のとおりであり、手取額を収益として計上している。

銘　柄　等	区　分	計　算　期　間	配当等の額	源泉徴収所得税額等
X社（内国法人）株式	剰余金の配当	令6.7.1～令7.6.30	500,000円	———
Y社（内国法人）株式	剰余金の配当	令6.4.1～令7.3.31	920,000円	187,864円
Z公社債投資信託	収益分配金	令6.10.1～令7.9.30	640,000円	98,016円

（注１）源泉徴収所得税額等は所得税額及び復興特別所得税額の合計額である。

（注２）X社株式及びY社株式に係る配当は、定時株主総会の決議による配当であり、その基準日をそれぞれ毎年6月30日及び毎年3月31日としている。

（注３）上記配当等の額の元本につき、計算期間中に異動はない。

（注４）法人税法第23条第4項に規定する関連法人株式等に該当する株式は、X社株式のみであり、Y社株式の保有割合は取得以来15%である。

（注５）上記株式等は、売買目的有価証券に該当しない。

② 当期の支払利子の額は1,600,000円である。

③ 上記の他、当社が数年前から発行済株式総数の50%を継続して所有する外国子会社から剰余金の配当1,000,000円（所在国において損金算入されるものではない。）を受け取ることが当期の7月31日に確定し、外国源泉税100,000円が徴収され、残額を受け取り収益に計上した。

(4) 減価償却に関する事項

① 当社は減価償却の方法として、旧定額法及び定額法を届け出ている。

② 減価償却費として、当期において費用に計上した金額の内訳及び償却限度額の計算に関する事項は次のとおりである。

種類・構造・細目等		費用に計上した償却費の額	事業の用に供した年月日	法定耐用年数	取得価額	備　考
建　物（鉄骨造）		円 1,655,799	平15.3.10	年 38	円 81,000,000	貸借対照表の期首帳簿価額は46,774,875円であるが、前期から繰り越された償却超過額が600,000円ある。
器具備品	応接セット	———	令7.2.10	8	300,000	前期に取得したものであるが、前期に取得価額の全額を費用に計上しているため、償却超過額が293,750円生じている。
	事務机	88,000	令7.7.10	8	88,000	
	キャビネット	170,000	令7.4.20	15	170,000	一括償却資産の損金算入の適用を受けるものとする。

（注）旧定額法償却率及び定額法償却率は、次のとおりである。

耐用年数	8 年	15 年	38 年
旧定額法償却率	0.125	0.066	0.027
定額法償却率	0.125	0.067	0.027

(5) 寄附金に関する事項

当期において損金経理した寄附金の額は次のとおりである。

支　出　先	目　　的	金　　額	備　　　　考
社 会 福 祉 法 人	運 営 資 金	350,000円	期中支出
商 工 会 議 所	経常経費資金	800,000円	すべて手形を振り出して支出したものであるが、期末までに決済されたのは200,000円であった。
日本学生支援機構	学資の貸与	550,000円	期中支出
日 本 赤 十 字 社	災害義援金	850,000円	期中に支出しており、最終的に義援金配分委員会に対して拠出されることが明らかなものである。
関 　連 　会 　社	運 営 資 金	13,958,000円	この金額は、関連会社に対して帳簿価額87,168,000円の土地を73,210,000円で譲渡した際の差額相当額である。なお、この土地の譲渡時の価額は89,960,000円であった。
宗 　教 　法 　人	運 営 資 金	100,000円	前期に仮払金として経理した金額を当期の費用として消却した。

(6) 営業経費に関する事項

当社が損金経理により計上した交際費勘定等の営業費で、租税特別措置法第61条の4に規定する交際費等に該当するものが5,075,000円あり、このうち接待飲食費の額（1人当たり10,000円を超えるもの）は1,200,000円である。

(7) その他の事項

① 当社の当期末の資本金等の額は250,000,000円（うち、資本金の額200,000,000円、資本準備金の額50,000,000円）である。

② 当期首現在の利益積立金の額は答案用紙「別表5（一）のⅠ」において計算し、また、法67条《特定同族会社の特別税率》の計算上用いる地方法人税額は、2,771,000円であるものとする。

③ 上記以外の事項については考慮する必要はない。

⇨解答：85ページ

問題6

　内国法人甲株式会社（以下「当社」という。）は医薬品の卸売業務等を営む非同族会社である。当社の当期（令和7年4月1日から令和8年3月31日まで）の損益計算書その他所得の金額等の計算に必要な事項は、下記〔資　料〕のとおりである。これに基づいて当期の確定申告書に記載すべき課税標準である所得の金額及び法人税額を計算しなさい。

　なお、解答にあたっては、次の事項を前提として計算しなさい。

(1) 税法上適用される方法が2以上ある事項については、当期の法人税額が最も少なくなる方法によるものとする。

(2) 当社は、設立第1期から当期まで引き続き青色申告書を提出しており、かつ、必要な申告の記載及び証明書類の添付等の手続は、すべて適法に行うものとする。

(3) 補足すべき事項がある場合には、それを明記して解答するものとする。

(4) 消費税については考慮する必要はない。

〔資　料〕

1．損益計算書末尾

税 引 前 当 期 純 利 益	473,260,787円
法人税、住民税及び事業税	163,273,200円
当 期 純 利 益	309,987,587円

2．所得の金額等の計算に関する事項

(1) 租税公課に関する事項

① 当期分の確定申告により納付することとなる法人税、地方法人税、事業税、県民税及び市民税の見積額の合計額128,785,200円を未払法人税等として当期の費用に計上している。

② 当期中に納付した前期分の確定申告に係る法人税及び地方法人税26,000,000円、事業税8,625,600円、県民税及び市民税5,538,000円については、前期（令和6年4月1日から令和7年3月31日まで）の費用に計上した未払法人税等を取り崩す経理を行っている。

③ 当期中に納付した次の租税については、当期の費用に計上している。

イ	当期の中間申告分の法人税	22,000,000円
ロ	当期の中間申告分の地方法人税	2,266,000円
ハ	当期の中間申告分の事業税	7,200,000円
ニ	当期の中間申告分の県民税及び市民税	3,022,000円
ホ	固定資産税及び都市計画税	25,728,000円

(2) 資産の買換えに関する事項

① 前期の令和7年3月2日に国内に所有する次の土地を譲渡し、その買換資産として国内に所在する土地Aを取得する見込みであったため、取得見込額である130,000,000円を基礎とした特別勘定積立金77,700,000円（積立超過額740,000円がある。）を前期において、剰余金の処分により積立金として積み立てていた。

なお、譲渡のために倉庫用建物を取り壊し、その帳簿価額相当額4,500,000円（償却超過額が300,000円ある。）と取壊しに要した費用の額2,600,000円を前期の損失に計上している。

区　　分	譲渡対価の額	譲渡直前の帳簿価額	備　　　　　　考
土　　地	130,000,000円	26,400,000円	平成13年7月20日に取得した面積500㎡の土地で倉庫用建物の敷地であった。

② 当期の令和7年12月16日に取得見込であった土地A（面積3,000㎡）を120,000,000円で取得した。そこで、当社は当期において、土地圧縮積立金77,000,000円を剰余金の処分により積立金として積み立てるとともに、同額の特別勘定積立金を剰余金の処分により取り崩している。

なお、当該土地Aには当期の令和8年1月12日に倉庫用建物の建設に着工しており、当期末に至って未だ建設中である。

(3) 減価償却に関する事項

① 当期末における減価償却資産に関する資料は次のとおりである。なお、繰越償却超過額はない。

種　類　等	取　得　価　額	期首帳簿価額	当　期　償　却　額	事業供用日	法定耐用年数
工場用建物	5,800,000円	350,000円	42,750円	平10.3以前	26年
機械装置(a)	10,000,000円	3,650,000円	833,810円	平19.3以前	11年
器具備品(b)	80,000円	————	80,000円	令7.4.10	5年
器具備品(c)	8,300,000円		3,443,400円	令7.4.20	5年
器具備品(d)	300,000円	————	300,000円	令7.8.10	6年

(注) 工場用建物の敷地は乙株式会社との間で借地権契約を締結していたが、当期の10月に存続期間が満了したため、さらにその期間を更新するために更新料3,000,000円を支出し、当期の費用に計上した。更新直前の借地権の帳簿価額は7,500,000円であり、更新時の借地権の価額は20,000,000円である。

② 当社は減価償却資産の償却方法の選定届出を行っていない。

③　耐用年数に応じた償却率は次のとおりである。

耐　用　年　数		5 年	6 年	11年	26年
旧　定　率　法		0.369	0.319	0.189	0.085
旧　定　額　法		0.200	0.166	0.090	0.039
定　　額　　法		0.200	0.167	0.091	0.039
200% 定率法	償　却　率	0.400	0.333	0.182	0.077
	改定償却率	0.500	0.334	0.200	0.084
	保　証　率	0.10800	0.09911	0.05992	0.02716

(4) 有価証券に関する事項

①　当社が当期において収受した配当等の額は次のとおりであり、源泉税額等控除後の差引手取額を収益に計上している。

区分＼種類	配当等の額		源泉税額等
	金　　額	計算期間	
外国法人 B社株式	1,000,000円	2025.1.1～ 2025.12.31	100,000円

(注) 外国法人B社（持株割合10%）の配当に係る源泉税額等はすべて外国税であり、差引手取額は900,000円である。

②　当社は令和8年3月28日に売買目的有価証券である内国法人C社株式を6,000,000円で取得した。当期末におけるC社株式の時価は6,300,000円となっているが、当社は何ら処理を行っていない。

(5) 借入金利子に関する事項

返済期限1年以内の銀行からの借入金の利子が4,811,000円ある。このうち1,800,000円は、当社がその発行済株式総数の50%を以前から保有している子会社乙社のために令和8年3月17日（当期末までの日数は15日とする。）に借り入れた銀行からの手形借入（借入期間120日）90,000,000円に係る利子で、当社はその金額を当期の費用に計上している。

なお、子会社乙社に対し、同日において90,000,000円を、貸付期間120日間、利息2,400,000円の約定により貸付を行い、利息の支払期日を貸付期間満了時としているため、当期においてはこの利息に関し経理上何らの処理もしていない。

(6) その他の事項

当社の期末資本金等の額は5千万円、資本金の額は3千万円である。なお、当社の株主に法人株主はいない。また、当社の従業員は60人である。

(注) 上記(1)～(6)以外の事項については考慮する必要はない。

⇨解答：96ページ

問題 7

制限時間 65分 / 難易度 B

制限時間　65分

難易度　B

　内国法人である甲株式会社（以下「甲社」という。）は、主として製造業を営む年1回3月末決算の特定同族会社である。税理士であるあなたは甲社の依頼により、5年ほど前から同社の租税に関する事務、すなわち税務代理、税務書類の作成、相談及び会社法による計算書類の作成を行っている。甲社の当期（自令和7年4月1日　至令和8年3月31日）についても、甲社の経理担当者より株主総会に提出する計算書類の原案の提示を受け、決算及び法人税の申告を行うべく作業を始めることとなった。

　確定申告書の作成に必要な以下の〔資　料〕に基づいて、記載された事実関係を検討し、必要と判断した項目については原案を修正して適切な当期純利益を算出するとともに、当期の確定申告に係る別表一（法人税額の計算）及び別表四（所得の金額の計算に関する明細書）を完成させなさい。

　なお、解答にあたっては、次の事項を前提として計算しなさい。

(1)　甲社は設立以来、当期まで連続して青色申告書である確定申告書を提出し、当期においても申告期限内に青色申告書により法人税の確定申告を行う予定である。

(2)　損益計算書の作成に当たっては、特に指示があるものを除き、決算処理が可能なものはこれに織り込むものとする。また、これらの調整は原価計算に影響させないものとする。

(3)　法人税の確定申告に当たって必要な申告の記載及び明細書類の添付、帳簿書類の記載及び保存等その他の手続はいずれも適法に行うものとし、選択することができる計算方法が2以上ある場合には、設問中に特に指示されている事項を除き、当期の納付すべき法人税額が最も少なくなる計算方法を用いるものとする。

(4)　甲社は消費税について税込経理方式により処理を行っている。

(5)　税効果会計及び原価差額の調整については考慮する必要はない。

〔資　料〕

1．計算書類原案の内容

内　　容	金　　額
損益計算書原案の当期純利益	515,878,140円

2．所得の金額等の計算に必要な事項

(1)　租税公課に関する事項

①　当期分の確定申告により納付することとなる法人税、地方法人税、事業税、県民税及び市民税の見積額の合計額として99,164,800円を決算において計上するものとする。

問題

② 当期中に納付した前期分の確定申告に係る法人税及び地方法人税、事業税、県民税及び市民税の合計額は72,500,000円（うち事業税分15,700,000円）であり、これについては前期の費用に計上した未払法人税等を取り崩す経理を行っている。

③ 当期中に納付した当期分の中間申告に係る法人税及び地方法人税、事業税、県民税及び市民税の合計額は92,032,300円（うち法人税分48,272,000円、地方法人税分4,972,000円、事業税分21,425,000円）であり、これについては損金経理により納付している。

④ 数年前から保有している公社債投資信託の収益分配金に係る源泉所得税額及び源泉復興特別所得税額1,148,625円は、当期の費用に計上されている。

（注）上記①から④までの税額は、いずれも本税である。

(2) 災害に関する事項

① 令和7年6月10日未明、失火により倉庫用建物及びその倉庫に保管されていた商品を焼失（全焼）し、同年7月20日に保険金60,000,000円を取得した。

なお、取得した保険金及び焼失した資産の帳簿価額は、それぞれ当期の収益及び費用に計上している。

② 焼失した資産等の状況は次のとおりである。

種　　類	被災直前の帳簿価額	耐用年数	受取保険金	備　　　考
倉庫用建物	15,000,000円	26年	50,000,000円	前期から繰り越された償却超過額が500,000円ある。
商　　品	9,500,000円	——	10,000,000円	前期から繰り越された商品評価損否認額が150,000円ある。

③ この火災に伴い、焼跡整理費用及び消防費用を支払い、それぞれ当期の費用に計上した。なお、このうち建物に係る経費は1,500,000円である。

④ 甲社は、受け取った保険金を資金に事務所用建物を取得して、令和8年1月21日から事業の用に供した。この事務所用建物の取得価額は50,000,000円（法定耐用年数50年・定額法償却率0.020）である。なお、当期の償却費はまだ計上していない。

⑤ 甲社は事務所用建物につき、法人税法第47条《保険金等で取得した固定資産等の圧縮額の損金算入》の適用を受けることとし、損金経理により圧縮記帳を行うこととする。

(3) 営業経費に関する事項

① 当期において得意先等に対する接待、贈答等の費用として交際費勘定に計上した金額は14,060,000円であり、その内訳は下記のとおりである。

イ　得意先の役員の慶弔、禍福に際して支出した費用　　　　　　　　　　　1,000,000円

ロ　年末に得意先に高級酒を配布した歳暮費用　　　　　　　　　　　　　　2,000,000円

ハ　年末に得意先に配布した甲社社名入りのカレンダー及びボールペンの作成に要した費用
　　　　　　　　　　　　　　　　　　　　　　　　　　　　　　　　　　　　3,000,000円

ニ　前期末の令和7年3月31日に得意先をゴルフに接待した費用　　　　400,000円
　　（前期確定申告書別表四において、この400,000円は未払交際費認定損として損金算入
　　されている。）

ホ　得意先の仕入担当者に取引のリベートとして、売上高の1％を金銭で支払った費用
　　　　　　　　　　　　　　　　　　　　　　　　　　　　　　　　　　　　100,000円

ヘ　得意先を飲食接待した費用で、1人当たり10,000円を超えるもの　　1,500,000円

ト　上記のほか、租税特別措置法第61条の4に該当する交際費等の額　　6,060,000円

② 当期中にAゴルフクラブに法人会員として入会し、入会金8,000,000円並びに年会費
1,140,000円及びプレー費用2,800,000円（業務遂行上必要とされるものである。）を支出し、
当期の費用に計上している。

(4) 債権に関する事項

① B株式会社に対して売掛金10,000,000円を有していたが、B株式会社は令和8年2月20
日に会社更生法の規定による更生計画の認可の決定があり、債権の15％は切り捨て、85％
は令和8年4月15日を第1回として毎年4月15日を支払期日とした10回の年賦により弁済
を受けることとなった。

② 甲社はこの売掛金については何ら処理を行っていない。なお、前期以前の個別貸倒引当
金の繰入れは行っていない。また、前期に計上した一括貸倒引当金1,200,000円（前期確
定申告書別表四において適正に調整されている）については何ら処理をしていないため、
戻入れを行う。

(5) 会館建設負担金に関する事項

甲社の所属する同業者団体であるC振興会が会館を建設することとなり、この会館の建設
費用の負担金として令和7年5月20日に300,000円を損金経理により支出している。

なお、会館はE振興会の本来の用に供されるものである。

会館は、令和7年6月5日に建設に着手しているが、甲社の当期末現在、建物は完成して
いない（完成予定日は令和8年10月31日）。

会館の耐用年数は30年である。

(6) 給与等に関する事項

甲社は当期において租税特別措置法第42条の12の5《給与等の支給額が増加した場合の法
人税額の特別控除》の規定の適用を受けようと考えている。計算に必要な資料は以下のとお
りである。なお、甲社は常時使用する従業員の数が2,000人以下である特定法人に該当する。

| 雇用者給与等支給額 | 593,500,000円 | 比較雇用者給与等支給額 | 563,500,000円 |
| 継続雇用者給与等支給額 | 442,400,000円 | 継続雇用者比較給与等支給額 | 325,600,000円 |

問題
7

問題

また、当期以前の各事業年度に損金算入された教育訓練費の額は次のとおりである。

前期	当期
27,000,000円	36,000,000円

(7) その他の事項

① 令和7年9月10日にZ国の法人に対し技術役務の提供を行い、その対価として570,000ドル（Z国の所得税5％控除後の金額）の支払を受けた。この対価は、同日の為替相場（1ドル当たり135円）による円換算額76,950,000円をもって収益に計上している。

なお、甲社は当該法人の株式を期末現在、保有していない。

② 当期末における資本金等の額は170,000,000円（うち資本金の額は150,000,000円）であり、当期中の異動もない。また、当期首における利益積立金額は126,000,000円である。

③ 翌期に開催する当期の定時株主総会の決議による期末配当の額は96,880,000円である。また、甲社は前期以前数年の間配当の支払は行っていない。

④ 法人税法第67条《特定同族会社の特別税率》の計算上用いる地方法人税額は12,532,900円であるものとする。

⑤ 上記以外の事項については考慮する必要はない。

⇨解答：101ページ

問題 8

　内国法人である甲株式会社（以下「甲社」という。）は、主として卸売業を営む期末資本金1億円、資本準備金5千万円（資本金等の額は1億5千万円）の年1回3月末決算の非同族会社（株主はすべて個人）である。

　税理士であるあなたは甲社の依頼により、5年ほど前から同社の租税に関する事務、すなわち税務代理、税務書類の作成、相談及び会社法による計算書類の作成を行っている。甲社の当期（自令和7年4月1日　至令和8年3月31日）についても、甲社の経理担当者より株主総会に提出する計算書類の原案の提示を受け、決算及び法人税の申告を行うべく作業を始めることとなった。

　確定申告書の作成に必要な以下の〔資　料〕に基づいて、記載された事実関係を検討し、必要と判断した項目については原案を修正して、適切な当期利益を算出し、法人税申告における法的な解釈及び計算の過程を示して、当期の確定申告に係る別表四（所得の金額の計算に関する明細書）及び別表一（法人税額の計算）を完成させなさい。

〔資　料〕

I　解答に当たり注意すべき事項

1　甲社は設立以来、当期まで連続して青色申告書である確定申告書を提出し、当期においても申告期限内に青色申告書により法人税の確定申告を行う予定である。

2　損益計算書の作成に当たっては、特に指示があるものを除き、決算処理が可能なものはこれに織り込むものとする。

3　未払法人税等の額は、概算として32,140,000円を計上している。なお、原案の金額を修正する必要はない。

4　法人税の確定申告に当たって必要な申告の記載及び明細書類の添付、帳簿書類の記載及び保存等その他の手続はいずれも適法に行うものとし、選択することができる計算方法が2以上ある場合には、設問中に特に指示されている事項を除き、当期の納付すべき法人税額が最も少なくなる計算方法を用いるものとする。

5　甲社は消費税について税込経理方式により処理を行っている。

6　税効果会計については考慮する必要はない。

7　甲社は設立以来、減価償却資産に関する償却方法及び外貨建資産等の期末換算方法の選定の届出をしていない。

Ⅱ　甲社の当期の貸借対照表及び損益計算書の原案に関する事項

　　甲社の当期の貸借対照表及び損益計算書原案（36頁～37頁参照）の内容に関して、あなたが確認した事項は以下のとおりである。

1　現金及び預金について

　　その内訳残高は以下のとおりであり、現金については事業年度末日における金種表と合致し、預金については、通帳及び残高証明書と一致している。

種　　類	残　　高（円）
現　　　金	50,500,000
普 通 預 金	42,300,000
定 期 預 金	50,000,000
合　　　計	142,800,000

　　（注）現金のうち7,850,000円は、外国通貨50,000ドルについて取得時の為替相場により換算したものである。当期末の為替相場は1ドル＝155円である。

2　売掛金について

　　売掛金はすべて一括評価金銭債権に該当するものである。

3　有価証券及び投資有価証券について

　　甲社は売買目的有価証券（A社株式）を有価証券勘定に、それ以外の有価証券を投資有価証券勘定に記載している。有価証券及び投資有価証券に関する資料は次のとおりである。

⑴　A社株式

　　内国法人であるA社（発行済株式数は400,000株である。）が発行するものであり、甲社は令和6年4月10日に3,000株、令和7年9月3日に2,000株を取得し、その後、令和7年10月3日に2,000株を売却（譲渡原価の計算は適正に行われている。）し、残りは当期末まで所有している。

　　A社株式の前期末及び当期末の帳簿価額はともに9,000,000円である。なお、前期末及び当期末の時価はそれぞれ8,600,000円及び9,200,000円である。

⑵　C社株式

　　甲社は令和6年4月1日に外国法人であるB社（当社と出資関係はない。）との共同出資により、X国に外国法人C社を設立し、C社の発行済株式数の60％を取得している。なお、取得以来、元本の異動はない。

⑶　D証券投資信託

　　主として内国法人株式に運用するものであり、令和6年10月10日に取得したものである。

4 　仮払金について

　残高1,500,000円は、令和8年2月15日に商工会議所に対して寄附金を支払った際に計上したものである。

5 　減価償却資産について

　検討を要する減価償却に関する資料は、以下のとおりである。なお、甲社は当期の決算においてはいまだ減価償却費を計上していないため、税法上の償却限度額相当額を当期の決算において計上することとする。

　また、既往の否認額がある場合には可能な限り翌期に繰り越さないようにすることとする。

内　　容	数量	事業供用年月	法定耐用年数	取得価額	当期首簿価
事務所用建物 E	1	令7.10	47年	103,605,000円	―
器具備品 F	1	令6.4	5年	1,600,000円	917,050円
営業権	1	令7.4	5年	640,000円	―

（注1）事務所用建物Eは、取得に際し、上棟式の費用395,000円（交際費等の損金不算入の対象となるものではない。）及び不動産取得税4,160,000円を支出し、費用に計上している。

（注2）耐用年数に応じた償却率は次のとおりである。

　　(1)　定額法　　耐用年数47年：0.022　　耐用年数5年：0.200

　　(2)　定率法（平成24年4月1日以後取得）　耐用年数5年

　　　　　償却率：0.400　改定償却率：0.500　保証率：0.10800

6 　未払金について

　未払金には令和8年4月5日に認定特定非営利活動法人に支払った寄附金500,000円を未払金経理したものが含まれている。

7 未払法人税等について

総勘定元帳には、次のように記載されている。

未払法人税等					（単位：円）
年 月 日	摘　　要	相 手 勘 定	借　　方	貸　　方	残　　高
7.4.1	前 期 繰 越				24,200,000
7.5.25	法人税及び地方法人税	普 通 預 金	16,000,000		
7.5.25	法 人 住 民 税	普 通 預 金	3,200,000		
7.5.25	法 人 事 業 税	普 通 預 金	5,000,000		
決　　算	当期確定分計上	当期分法人税等		32,140,000	32,140,000

8 資本金及び資本準備金について

当期中において資本金の額及び資本準備金の額の増減はなかった。

9 販売費及び一般管理費について

販売費及び一般管理費には、次のものが含まれている。

(1) 租税公課

印紙税の過怠税50,000円が含まれている。

(2) 貸倒引当金繰入額

① 当期末の売掛金（全て翌期中に回収が見込まれるもの）に対する貸倒引当金はいまだ計上していないため、決算において税法上の繰入限度額相当額を繰り入れるものとする。

② 最近の事業年度における一括評価金銭債権の額及び貸倒損失の額は、次のとおりである。

事 業 年 度	一括評価金銭債権の額	貸倒損失の額
自令和4年4月1日　至令和5年3月31日	124,400,000円	1,074,000円
自令和5年4月1日　至令和6年3月31日	117,500,000円	1,178,000円
自令和6年4月1日　至令和7年3月31日	90,300,000円	925,000円

③ 実質的に債権とみられないものの額は基準年度の実績により計算することとし、その簡便割合は0.028である。

(3) 接待交際費

前期に仮払金として処理した交際費の当期消却額600,000円と当期に取引先を接待した際の飲食費300,000円（参加人数12人）が含まれている。なお、その他の金額10,400,000円は全て租税特別措置法第61条の4に規定する交際費等に該当する。

(4) 寄附金

寄附金の内訳は次のとおりである。

① 令和7年7月15日に支払った公立高校の体育館建築に対する寄附金2,000,000円（完成後は県に帰属するもの）

② 令和8年4月5日に支払った認定特定非営利活動法人に対する寄附金500,000円で未払金に計上したもの（上記**6**参照）

③ 令和7年11月24日に支払った、甲社の倉庫前の市道の道路舗装負担金として市に支払った1,200,000円

　なお、この道路の法定耐用年数は15年であり、甲社以外の一般の通行の用には供されていない道路であると認められる。

10 受取利息について

銀行預金の利息であり、源泉所得税額及び復興特別所得税額30,630円控除前の金額である。なお、これらの源泉税額はすべて租税公課勘定に計上されている。

11 受取配当金について

受取配当金は次の金額の合計額である。なお、これらに係る源泉所得税額、復興特別所得税額の合計額及び源泉外国税額はすべて租税公課勘定に計上されている。

(1) A社株式に係る期末配当　372,000円

　令和7年9月30日を基準日とするもので、源泉所得税額及び復興特別所得税額56,971円控除前の金額である。なお、この配当の直前の配当に係る基準日は令和6年9月30日であった。また、甲社の、A社株式の保有割合は、取得以来5％未満である。

(2) C社株式に係る期末配当　2,700,000円

　令和7年3月31日を基準日とし、令和7年5月22日を支払義務が発生する日とするもので、源泉外国税額270,000円控除前の金額である。なお、この配当は現地国において損金算入されるものではない。

(3) D証券投資信託　279,000円

　令和6年5月1日から令和7年4月30日までの期間に係る収益分配金で、源泉所得税額及び復興特別所得税額の合計額56,971円控除前の金額である。

12 支払利息について

借入金に対する利息であり、すべて当期に係るものである。

13 貸倒引当金戻入益について

それぞれ洗替法により処理しているため、前期の繰入額を全額戻入れしたものである。

問題8

問題

14 当期分法人税等について

総勘定元帳には、次のように記載されている。なお、法人税予定申告のうち1,344,600円は地方法人税である。

			(単位：円)		
当期分法人税等					
年月日	摘　要	相手勘定	借　方	貸　方	残　高
7.11.24	法人税予定申告	普通預金	14,400,000		
7.11.24	住民税予定申告	普通預金	2,880,000		
7.11.24	事業税予定申告	普通預金	4,400,000		21,680,000
決　算	当期確定分計上	未払法人税等	32,140,000		53,820,000

Ⅲ 甲社の当期の貸借対照表及び損益計算書の原案

貸 借 対 照 表（原案）

甲株式会社　　　　　　　　　　令和8年3月31日　　　　　　　　　（単位：円）

資 産 の 部		負 債 の 部	
［流 動 資 産］	≪333,740,000≫	［流 動 負 債］	≪137,790,000≫
現金及び預金	142,800,000	買　掛　金	72,070,000
売　掛　金	143,200,000	未　払　金	24,500,000
有 価 証 券	9,000,000	前 受 収 益	680,000
商　　　品	37,240,000	未払法人税等	32,140,000
仮　払　金	1,500,000	預　り　金	8,400,000
［固 定 資 産］	≪339,162,050≫	［固 定 負 債］	≪200,000,000≫
［有形固定資産］	(314,522,050)	長 期 借 入 金	200,000,000
建　　　物	103,605,000	負 債 の 部 合 計	337,790,000
器 具 備 品	917,050	純 資 産 の 部	
土　　　地	210,000,000		
［無形固定資産］	(640,000)	［株 主 資 本］	≪335,112,050≫
営 業 権	640,000	［資　本　金］	≪100,000,000≫
［投資その他の資産］	(24,000,000)	［資 本 剰 余 金］	≪ 50,000,000≫
投資有価証券	24,000,000	資 本 準 備 金	50,000,000
		［利 益 剰 余 金］	≪185,112,050≫
		利 益 準 備 金	30,000,000
		繰越利益剰余金	155,112,050
		純 資 産 の 部 合 計	335,112,050
資 産 の 部 合 計	672,902,050	負債・純資産の部合計	672,902,050

損益計算書（原案）

甲株式会社　　　　自令和7年4月1日　至令和8年3月31日　　　　（単位：円）

I	売上高		1,619,609,000
II	売上原価		948,169,000
	売上総利益		671,440,000
III	販売費及び一般管理費		561,899,000
	営業利益		109,541,000
IV	営業外収益		
	受取利息	200,000	
	受取配当金	3,351,000	
	有価証券売却益	200,000	
	その他	720,000	4,471,000
V	営業外費用		
	支払利息	4,000,000	4,000,000
	経常利益		110,012,000
VI	特別利益		
	貸倒引当金戻入益	1,608,000	
	その他	90,900,000	92,508,000
VII	特別損失		
	その他	59,500,000	59,500,000
	税引前当期純利益		143,020,000
	当期分法人税等		53,820,000
	当期純利益		89,200,000

問題8

問題

Ⅳ 前期の別表五（一）

	事業年度	R6. 4. 1 R7. 3.31	法人名	甲株式会社

Ⅰ 利益積立金額の計算に関する明細書

区　分	期首現在 利益積立金額	当期の増減 減		当期の増減 増	差引翌期首現在 利益積立金額
利 益 準 備 金	30,000,000円	円		円	30,000,000円
Ａ 社 株 式				△　400,000	△　400,000
器 具 備 品 Ｆ				42,950	42,950
一括貸倒引当金	500,000	500,000		594,800	594,800
仮 払 交 際 費				△　600,000	△　600,000
繰 越 損 益 金	71,654,050	71,654,050		101,912,050	101,912,050
納 税 充 当 金	14,400,000	14,400,000		24,200,000	24,200,000
未納法人税及び 未納地方法人税	△　9,600,000	△ 22,400,000	中間	△12,800,000	△ 16,000,000
			確定	△16,000,000	
未 納 住 民 税	△　1,920,000	△　4,480,000	中間	△　2,560,000	△　3,200,000
			確定	△　3,200,000	
差 引 合 計 額					

Ⅱ 資本金等の額の計算に関する明細書

区　分	期首現在 資本金等の額	当期の増減 減	当期の増減 増	差引翌期首現在 資本金等の額
資 　本 　金	100,000,000円	円	円	100,000,000円
資 本 準 備 金	50,000,000			50,000,000
差 引 合 計 額	150,000,000			150,000,000

Ⅴ　その他の事項

上記以外の事項については、考慮する必要はない。

⇨解答：110ページ

問題 9

　内国法人である甲株式会社（以下、「当社」という。）は、主として製造業を営む年1回3月決算の非同族会社（株主はすべて個人である。）であり、当期（自令和7年4月1日　至令和8年3月31日）末の資本金等の額は23,000,000円（うち資本金の額20,000,000円）である。なお、当社の従業員数は、常時500人以下である。

　当社は設立以来毎期連続して適法に青色申告書によって法人税の確定申告書を提出しており、当期についても申告期限内に青色申告書による法人税の確定申告を行う予定である。

　税理士であるあなたは、当社の経理担当者から株主総会に提出する貸借対照表、損益計算書、株主資本等変動計算書等、決算書の原案の提示を受け、当期の決算書及び法人税申告書の作成を行うこととなった。

　以下の資料に基づき、**問1**から**問5**までの各設問に答えなさい。

〔解答に当たっての注意事項〕

(1)　申告に当たって必要な明細の記載及び証明書類の添付、帳簿書類の記載及び保存等の手続は、すべて適法に行うものとする。

(2)　解答が複数考えられる場合は、特に指示があるものを除き、当期分の所得金額が最も少なくなる方法によるものとする。

(3)　当社は、消費税及び地方消費税について税抜経理を行っているが、解答に当たっては消費税及び地方消費税について考慮する必要はないものとする。

(4)　解答に当たって税効果会計は考慮不要とする。

(5)　答案用紙の別表は、簡略化され、一部変更されたものである。

(6)　解答に当たって補足すべき事項があれば、必要に応じ補足して解答すること。

　（注）解答は答案用紙の指定された枠内に記載すること。

〔資料1〕租税公課等に関する事項

(1) 当期における納税充当金の異動状況は次のとおりである。

区　分	期首現在額	当期減少額	当期増加額	期末現在額
法　人　税　等	23,900,000円	23,900,000円		
住　　民　　税	4,580,000円	4,580,000円		
事　　業　　税	7,440,000円	7,440,000円		
合　　　　計	35,920,000円	35,920,000円	42,900,000円	42,900,000円

（注1）「期首現在額」及び「当期増加額」の金額は前期（自令和6年4月1日　至令和7年3月31日）及び当期において、それぞれの確定申告分の法人税及び地方法人税、住民税及び事業税に係る税額として損金経理により引き当てた金額である。

（注2）「当期減少額」は、前期分のそれぞれに掲げる税額を納付するために取り崩した金額である。

(2) (1)のほか当期において損金経理をした租税公課の額には次のものが含まれている。

① 当期中間申告分法人税及び地方法人税 29,600,000円

② 当期中間申告分住民税 5,650,000円

③ 当期中間申告分事業税 9,480,000円

④ 源泉所得税の不納付加算税及び延滞税 350,000円

問1　当期の租税公課に関し、別表四及び別表五（一）Ⅰの記載を行いなさい。

〔資料 2 〕 貸倒引当金に関する事項

(1) 当期末における金銭債権等の内容は、次のとおりである。

① 売掛金　　　　274,800,000円

　　売掛金のうち4,000,000円はA社に対するものであるが、A社は令和7年10月に民事再生法の規定による再生手続開始の申立てを行っている。

　　また、売掛金のうち20,000,000円はB社に対するものである。

② 受取手形　　　57,300,000円

　　受取手形はすべて売掛金の回収のために取得したものである。なお、受取手形のうちにはA社に対する売掛金について取得したもの6,000,000円（すべてA社が振り出したものである。）が含まれている。

　　また、このほか割引手形4,000,000円が脚注表示されているが、これらはすべて売掛金の回収のために取得した受取手形を割引したものであり、A社及びB社に対するものではない。

③ 貸付金　　　　30,000,000円

　　すべてC社に対するもので、翌々期中に支払期限が到来するものである。なお、当期分の受取利息1,500,000円（適正額と認められる。）は当期末現在未収だが何ら処理していない。

④ 未収入金　　　4,500,000円

　　仕入割戻しの未収金2,000,000円と技術役務提供の対価としての未収金2,500,000円との合計額である。

(2) 当社の当期末における買掛金のうちにはA社に対するものが500,000円、B社に対するものが2,000,000円ある。また、当社の当期末における支払手形のうちにはA社に対するものが1,500,000円ある。

(3) 最近の各事業年度の一括評価金銭債権の額等の資料は次のとおりである。

事　業　年　度	一括評価金銭債権の額	貸倒損失等の額
自令和4年4月1日　至令和5年3月31日	388,000,000円	5,940,000円
自令和5年4月1日　至令和6年3月31日	401,200,000円	5,850,000円
自令和6年4月1日　至令和7年3月31日	378,800,000円	（注）9,350,000円

　　（注）固定資産の購入に係る前渡金が回収不能となったことに伴い、貸倒損失として処理した金額3,500,000円が含まれている。

(4) 当社は前期において繰り入れた一括貸倒引当金6,750,000円（繰入超過額が212,560円ある。）については未処理である。

問2　当期における個別貸倒引当金及び一括貸倒引当金の繰り入れに関し、繰入限度額を計算するとともに、繰入限度額相当額が貸借対照表に計上されるように必要な決算修正及び申告調整を行いなさい。なお、一括貸倒引当金繰入限度額の計算は貸倒実績率により計算するものとする。

問題9

問題

— 41 —

〔資料3〕国庫補助金等に関する事項

(1) 当社は、令和7年9月26日に国から構築物の取得に充てるための国庫補助金等5,000,000円を収受し、特別利益に計上した。

(2) 上記(1)の補助金及び自己資金をもって令和7年10月21日に当該補助金の交付目的に適合する構築物Dを16,000,000円で取得し、ただちに事業の用に供した。

(3) 当期末において当該補助金の返還不要が確定したため、当社は法人税法第42条に規定する国庫補助金等の圧縮記帳の適用を受けることとした。なお、圧縮記帳の適用を受けるに当たっては当期の確定した決算において積立金経理により圧縮積立金を積み立てることとしたが、何ら処理を行っていない。

問3 国庫補助金等の圧縮記帳につき、圧縮積立金の積立てに係る決算修正を行うとともに必要な申告調整を行いなさい。なお、構築物Dの減価償却については、下記**問4**において処理を行うこと。

〔資料4〕減価償却資産等に関する事項

(1) 当期末に有する減価償却資産のうち検討を要するものは次のとおりである。なお、当期に係る減価償却費の計上はいまだ行っておらず、前期からの繰越償却超過額がある場合には、可能な限り翌期以降に繰り越さないように処理を行うこと。

種　　　類	取得価額	期首帳簿価額	法定耐用年数	備　　　考
建　物　E	80,000,000円	26,504,000円	22年	（注1）
構　築　物　D	16,000,000円	─────円	10年	（注2）

（注1）平成18年4月に取得し事業供用したものであり、繰越償却超過額が504,000円ある。
　　　　令和7年4月に資本的支出として3,000,000円支出し、固定資産に計上している（上記表中には反映されていない。）。

（注2）上記〔資料3〕により取得したものである。

(2) 当社は減価償却資産の償却方法の選定・届出を行っていない。

(3) 上記のほか、令和8年1月5日に取得し事業供用した器具備品F（法定耐用年数は8年である。）が4,800,000円消耗品費勘定に計上されている。器具備品Fは1個160,000円のものを30個取得したものである。なお、貸付けの用に供するものではない。

問4 当期の減価償却資産につき、損金算入限度額を算出するとともに必要な決算修正及び申告調整を行いなさい。なお、一括償却を選択する場合には、取得価額の全額を消耗品費に計上して申告調整により調整を行うこと。

〔資料 5〕 その他の経費に関する事項

(1) 当期において交際費勘定に計上した金額は21,800,000円であり、その内訳は次のとおりである。

① 得意先役員をレストランで接待した際の費用（1人当たりの飲食費は10,000円以下である。）

200,000円

② 株主総会終了後に開催した株主懇親会の費用（1人当たり10,000円を超える接待飲食費に該当する。）

1,800,000円

③ 前期に得意先役員を料亭で接待した際に仮払金として処理していた金額の当期消却額（1人当たりの飲食費は10,000円を超えている。）

400,000円

④ その他租税特別措置法第61条の4に規定する交際費等（社外の者との飲食費で1人当たり10,000円超のものが4,000,000円含まれている。）

19,400,000円

(2) 当期の4月1日に、従業員を被保険者とし、生存保険金の受取人を当社、死亡保険金の受取人を従業員の遺族とする養老保険をG保険会社と契約し、1年分の保険料3,200,000円を支払い当期の支払保険料勘定に計上している。

問5 交際費等に関し、計算過程を示しつつ必要な申告調整を行いなさい。

また、保険料に関し、必要な決算修正を行いなさい。

〔参考資料〕

(1) 上記の他は計算上考慮する必要がないものとし、解答に当たって補足すべき事項があるときは、それを明記して解答するものとする。

(2) 法定耐用年数に応じた償却率は次のとおりである。

耐 用 年 数		8 年	10年	22年
旧 定 額 法		0.125	0.100	0.046
旧 定 率 法		0.250	0.206	0.099
定 額 法		0.125	0.100	0.046
250%定率法	償 却 率	0.313	0.250	0.114
	改定償却率	0.334	0.334	0.125
	保 証 率	0.05111	0.04448	0.02296
200%定率法	償 却 率	0.250	0.200	0.091
	改定償却率	0.334	0.250	0.100
	保 証 率	0.07909	0.06552	0.03182

⇨解答：117ページ

　甲株式会社（代表取締役A、以下「甲社」という。）は、期末資本金の額2億円（資本準備金は0円であり、資本金等の額は2億円である。）の製造業を営む3月末決算の内国法人であり、毎期継続して青色申告書を提出している。同社の当期（令和7年4月1日〜令和8年3月31日）の法人税の課税関係につき、以下の問いに答えなさい。

問1　〔資料1〕により、税務上調整すべき金額をその計算過程を示したうえで、「別表四　所得の金額の計算に関する明細書」及び「別表五（一）Ⅰ　利益積立金額の計算に関する明細書」に示しなさい。

〔資料1〕減価償却に関する事項
①　甲社は減価償却資産の償却方法について選定・届出を行っていない。
②　定額法及び定率法（平成19年4月1日〜平成24年3月31日取得分）の償却率、改定償却率及び保証率の表は、次のとおりである。

耐用年数	定額法	定率法		
	償却率	償却率	改定償却率	保証率
5年	0.200	0.500	1.000	0.06249
8年	0.125	0.313	0.334	0.05111
15年	0.067	0.167	0.200	0.03217
22年	0.046	0.114	0.125	0.02296

③　定率法（平成24年4月1日以後取得分）の償却率、改定償却率及び保証率の表は、次のとおりである。

耐用年数	定率法		
	償却率	改定償却率	保証率
5年	0.400	0.500	0.10800
8年	0.250	0.334	0.07909
15年	0.133	0.143	0.04565
22年	0.091	0.100	0.03182

④ 減価償却資産のうち、〔資料2〕にあるもの以外で検討を要するものは次のとおりである。

種　類	耐用年数	取得価額	期首簿価	当期償却額	事業供用日
建　　　　物	22年	50,000,000円	―――円	400,000円	R 8. 2. 2
機 械 装 置	8年	14,875,000円	―――円	3,500,000円	R 7. 6. 11
器 具 備 品 B	15年	4,000,000円	1,200,000円	220,000円	H24. 3. 10
器 具 備 品 C	15年	3,900,000円	2,000,000円	240,000円	H25. 4. 26
ソフトウエア	5年	2,000,000円	―――円	400,000円	R 7. 8. 12

ア　建物は当期の1月30日に取得したものである。なお、取得にあたり不動産取得税1,500,000
　　円を支出し、費用に計上している。

イ　機械装置は取得にあたり関税125,000円を支出し、費用に計上している。なお、当期に受注
　　が増加したことに伴い平均的使用時間を超えて使用しており、法人税法施行令第60条の規定
　　により増加償却を行うこととした（当期中の1日当たりの超過使用時間は3.2時間である。）。

ウ　器具備品Bには繰越償却超過額が117,784円あるが、器具備品Cには繰越償却超過額はない。
　　なお、器具備品Bと器具備品Cの構造、用途、細目は同一である。

エ　ソフトウエアは製品管理システムの向上を図ることを目的としたものである。

問2　〔資料2〕により、税務上調整すべき金額を算定するとともに、その計算過程を示しなさい。

　　なお、答案用紙の金額欄には、次の（記載例）に従って、加算又は減算につき加又は減と、別
　　表四の処分欄の「留保欄に転記されるもの」には留と、「社外流出欄に転記されるもの」には流と
　　記載すること（以下、問3において同じ。）。

（記載例）

税務上調整すべき金額	計算過程及び検討
売上計上もれ ×××（加・留） 外国子会社配当等の益金不算入 ×××（減・流）	

〔資料2〕固定資産の交換に関する事項

① 甲社は令和7年6月3日に、甲社所有の建物付土地（土地D及び建物E）と内国法人乙社が
　　数年前から所有し事業の用に供していた建物付土地（土地F及び建物G）を交換し、交換取得
　　資産を直ちに従来どおりの用途に供した。

　　　この交換により譲渡した資産及び交換により取得した取得資産の詳細は次のとおりである。

区　分	交換譲渡資産		交換取得資産の時価
	時価	帳簿価額	
土　　地	28,000,000円	13,384,000円	24,000,000円
建　　物	7,000,000円	(注)5,000,000円	8,000,000円
現　　金	――――	――――	3,000,000円
合　　計	35,000,000円	18,384,000円	35,000,000円

（注）建物Eには繰越償却超過額が250,000円ある。

② 甲社は交換取得資産である土地F及び建物Gの取得価額として、交換譲渡資産の交換直前の帳簿価額をそのまま付しており、交換差金は収益に計上している。

③ 甲社はこの交換に際し、土地及び建物の譲渡費用770,000円を支払い、費用に計上している。

④ 建物Gの法定耐用年数は30年（定額法償却率0.034）、残存使用可能期間の見積年数は18年（定額法償却率0.056）であり、甲社は建物Gの減価償却費として448,000円を費用に計上している。

問3　〔資料3〕により答案用紙に従い同族会社及び役員等の判定をしなさい。また、税務上調整すべき金額を算定するとともに、その計算過程を示しなさい。

【資料3】株主及び役員給与等に関する事項

① 甲社の株主構成は次のとおりであり、設立以来異動はない。なお、「関係」欄に特に記載がない者は相互に法人税法施行令第4条第1項各号に掲げる同族関係者には該当しない。

氏名・名称	関　係	株式数
A代表取締役社長		60,000株
H専務取締役		60,000株
I常務取締役		60,000株
J取締役営業部長	Aの長男	15,000株
K総務部長	Hの長女	12,000株
L会長		93,000株
発行済株式総数		300,000株

ア　K及びLは取締役会にそのつど出席し、経営方針について積極的に議事に参加している。

イ　Jは常時使用人としての職務に従事している。

② 当期末における役員等に対する給与の支給額は次表のとおりである。

氏　名	給与の支給額	
	報酬又は給料	賞　　与
A	16,500,000円	0円
H	12,000,000円	0円
I	9,000,000円	1,000,000円
J	6,600,000円	900,000円
K	4,200,000円	800,000円
L	6,000,000円	0円

ア　報酬又は給料は毎月定額を支給している。

イ　各人について、その職務の内容等からした相当額は、次のとおりである。

氏　名	職務内容からした相当額
A	15,000,000円
H	14,000,000円
I	9,000,000円
J	7,200,000円
K	4,500,000円
L	5,000,000円

ウ　Jに対する給与のうち報酬2,100,000円及び賞与は使用人分として支給しており、使用人職務に対する金額として相当額である。

また、賞与については他の使用人と同時期に支給している。

エ　Kに対する給与はすべて使用人分として支給しており、賞与については他の使用人と同時期に支給している。

オ　甲社は、Iに対する賞与につき、令和7年5月28日に開催された定時株主総会で決議した金額の全額を支給した。

なお、事前確定届出給与に関する届出書を令和7年6月30日に提出している。

カ　甲社は定款において一事業年度当たりの取締役給与の支給限度額を45,000,000円以内と定めている。なお、この金額には使用人兼務役員の使用人職務に対して支給される給与は含めていない。

キ　甲社は業績連動給与については採用していないため、考慮不要である。

③　上記給与のほか、Aが令和7年8月に一週間の旅程で同業者団体が主催する海外視察旅行に参加した際の費用400,000円があるが旅費交通費として処理している。

なお、全行程のうち業務従事割合が70％であり、残りの30％は観光目的であると認められる。

—47—

問4　〔資料4〕により、税務上調整すべき金額をその計算過程を示したうえで、「別表四　所得の金額の計算に関する明細書」に示すとともに、「別表五（一）Ⅰ　利益積立金額の計算に関する明細書」の一部を答案用紙に従い示しなさい。

【資料4】その他当期に関する事項

① 当期中に支払った下記の費用を損金経理している。

区　分	金　額	内　容
保険料	2,200,000円	従業員にかかる当期分の生命保険料を年払いしたものである。なお、当該保険は全従業員を被保険者とし、甲社を保険金の受取人とする養老保険である。
同業者団体の通常会費	360,000円	下記⑤の同業者団体に係る通常会費である。
ゴルフクラブの年会費及び年決ロッカー料	72,000円	下記⑤のゴルフクラブに係る当期分の年会費等である。
ロータリークラブの年会費	240,000円	下記⑤のロータリークラブに係る当期分の年会費である。
利子税、延滞税	45,000円	前期確定申告分法人税額及び地方法人税額に係る利子税30,000円及び延滞税15,000円の合計額である。
延滞金	8,000円	前期確定申告分住民税額に係る延滞金（納期限延長に係るもの5,500円、納付遅延に係るもの2,500円）である。

② 寄附金として当期の費用に計上した金額の内訳は、次のとおりである。

　ア　日本商工会議所に対して支出した金額　150,000円

　イ　日本赤十字社に対して支出した金額で、災害義援金として最終的に義援金配分委員会等に対して拠出されることが明らかなもの　200,000円

　ウ　甲社が所属した同業者団体が会館を建設することになり、令和7年9月10日に会館建設負担金として支出した金額　250,000円

　　　なお、この会館の耐用年数は50年であり、当該会館は同業者団体の本来の用に供されるもので、令和7年10月17日に建設を開始し、令和8年5月に完成予定である。

③ 当期に仮払金として処理した金額350,000円は、日本学生支援機構に対する寄附金で経常経費に充てられるもの300,000円と得意先を接待した後に従業員の帰宅に利用したタクシー代

50,000円であることが判明した。

④ 接待交際費として当期の費用に計上した金額の内訳は、次のとおりである。

　ア　得意先を接待するために要した飲食費　650,000円（1人当たり10,000円以下の金額）

　イ　得意先を接待するために要した飲食費　1,250,000円（1人当たり10,000円超の金額）

　ウ　来客との商談を近隣のレストランで行った際の飲食費　120,000円（会議に関連して飲食物を供与するために通常要する費用である。）

　エ　前期に仮払処理をした金額を当期に交際費等に振替えた金額（前期の3月に得意先を旅行に招待するための費用を旅行会社に支払った金額である。）　150,000円

　オ　下記⑤のゴルフクラブでのプレー料　240,000円（当該プレー料は取引先を接待したものである。）

⑤ 当期に支出し費用に計上した加入金及び入会金の内訳は、次のとおりである。

　ア　当期の6月に同業者団体に加入した際の加入金（出資の性質を有するもの及び他に譲渡できるものではない）　300,000円

　イ　当期の4月にゴルフクラブに法人会員として入会した際の入会金　550,000円（この他に入会した際に名義書換料250,000円を支出し費用に計上している。）

　ウ　当期の4月にロータリークラブに入会した際の入会金　100,000円

⑥ 当期における納税充当金の異動状況は次のとおりである。

期首現在額	当期減少額	当期増加額	期末現在額
16,000,000円	16,000,000円	12,000,000円	12,000,000円

　ア　「期首現在額」及び「当期増加額」の金額は、それぞれ前期及び当期において、前期分及び当期分の確定申告分法人税、住民税及び事業税に係る税額として損金経理したものである。なお、法人税には地方法人税が含まれている（以下、同じ。）。

　イ　「当期減少額」の金額は、前期分の確定申告分法人税10,500,000円、住民税1,700,000円及び事業税3,800,000円を納付した際に取り崩したものである。

⑦ 当期に損金経理した租税公課には、次のものが含まれている。

　ア　当期中間申告分の法人税　8,800,000円

　イ　当期中間申告分の住民税　1,900,000円

　ウ　当期中間申告分の事業税　3,400,000円

⇨解答：125ページ

問題10

問題

解答編

※ □で囲まれた数字は配点を示す。

（所得金額の計算）

区　　　　分	金　　額
当 期 純 利 益	276,444,118円
加	損金経理納税充当金	247,132,900②
	損金経理法人税等	26,747,100②
	損金経理住民税	4,190,000②
	損金経理附帯税等	52,300②
	損金経理交通反則金	120,000②
	交 際 費 等 の 損 金 不 算 入 額	10,490,500②
	未 払 寄 附 金 否 認	600,000②
	前期仮払寄附金否認	420,000②
	減 価 償 却 超 過 額 （B 器 具 備 品）	720,000②
	（D 車 両）	20,001②
	（E 機 械 装 置）	772,383②
算		
	小　　　計	291,265,184

区　　　　分	金　　額
減	納 税 充 当 金 支 出 事 業 税 等	7,707,000②
	未 払 交 際 費 認 定 損	500,000②
	仮 払 寄 附 金 認 定 損	220,000②
	C 建 物 減 価 償 却 超 過 額 認 容	53,000②
	受 取 配 当 等 の 益 金 不 算 入 額	300,000②
算		
	小　　　計	8,780,000
仮　　　　計	558,929,302
寄附金の損金不算入額	86,891,567
法人税額控除所得税額	290,985②
合　　　　　　計	646,111,854
差　　引　　計	646,111,854
総　　　　　　計	646,111,854
所 得 金 額	646,111,854

（附帯税等）

$15,000＋30,000＋7,300＝52,300$

（交際費等）

(1)　支出交際費等　　　会議費　寄附金　　　未払
$(19,790,500－800,000－1,000,000)＋500,000＝18,490,500$

(2)　損金不算入額　　$18,490,500－\overset{※}{8,000,000}＝10,490,500$

※　　飲食費
$(2,500,000＋500,000)×50\%＝1,500,000 \boxed{2} ＜ 8,000,000×\dfrac{12}{12}　　∴　8,000,000$

（減価償却）

(1)　B器具備品

①　償却限度額

イ　$900,000×0.400＝360,000$

ロ　$900,000×0.10800＝97,200$

ハ　イ ≧ ロ　　∴　$360,000$

ニ　$360,000×\dfrac{6}{12}＝180,000$

②　償却超過額

$900,000－180,000＝720,000$

(2)　C建物

　　　　　　　　　　　　　　　　　　　繰越超過
$1,000,000－30,000,000×0.9×0.039＝△53,000 ＜ 230,000　　∴　53,000（認容）$

(3)　D車両

$50,000－(3,000,000×5\%－1)×\dfrac{12}{60}＝20,001$

(4)　E機械装置

①　償却限度額

　　　本体　　据付費
イ　$(5,000,000＋200,000)×0.400＝2,080,000$

ロ　$(5,000,000＋200,000)×0.10800＝561,600$

ハ　イ ≧ ロ　　∴　$2,080,000$

ニ　$2,080,000×\dfrac{1}{12}＝173,333$

②　償却超過額

　　据付費
$(200,000＋745,716)－173,333＝772,383$

（受取配当等の益金不算入額）

(1)　配当等の額（その他）

　　　F株式
　　　600,000

(2)　益金不算入額

　　　$600,000 \times 50\% = 300,000$

（法人税額控除所得税額）

(1)　株式出資（所有期間から個別法有利）

　　　$122,520 \times \dfrac{9}{12}\ (0.750) = 91,890$

(2)　受益権

　　　153,150

(3)　その他

　　　45,945

(4)　(1)＋(2)＋(3)＝290,985

（寄附金）

(1)　支出寄附金＜区分　②＞

　　　　　　　　　　　地方　　　学資　　赤い羽根
　　①　指定等　2,500,000＋700,000＋ 220,000 ＝3,420,000

　　　　　　　　　　　神社　　　土地時価
　　②　その他　1,000,000＋90,000,000＝91,000,000

　　③　①＋②＝94,420,000

(2)　損金算入限度額＜形式　②＞

$$\left\{\underset{\text{資本金}}{(30,000,000}+\underset{\text{資本準備金}}{10,000,000)}\times\frac{12}{12}\times\frac{2.5}{1,000}+\underset{\text{仮計}}{(558,929,302}+\underset{\text{支出寄附金}}{94,420,000)}\times\frac{2.5}{100}\right\}\times\frac{1}{4}=4,108,433$$

(3)　損金不算入額＜形式　②＞

　　　　　　　　　　指定等　　　　限度
　　94,420,000−3,420,000−4,108,433＝86,891,567

（法人税額の計算）

区　　　　　分	税率	金　　額
所　得　金　額	％	646,111,854円
税額計算 (1) 年800万円相当額　8,000,000	15	1,200,000
税額計算 (2) 年800万円超過額　638,111,000 （千円未満切捨）	23.2	148,041,752
法　人　税　額		149,241,752
特定機械装置等の特別控除額		364,000 ②
法　人　税　額　計		148,877,752
控　除　所　得　税　額		290,985 ②
差引所得に対する法人税額 （百円未満切捨）		148,586,700
中間申告分法人税		24,249,500 ②
差引確定法人税額		124,337,200

計　算　過　程　　（単位：円）

（特定機械装置等の特別控除）

据付費
(1) （5,000,000＋200,000）× 7 ％＝364,000

(2) $\dfrac{149,241,752 \times 20\%}{②} = 29,848,350$

(3) (1) ＜ (2)　　∴ 364,000

【配　点】　② ×25カ所　　合計50点

解答への道

1．租税公課

(1) 当期に費用計上した未払法人税等の繰入額は費用の見積計上であり、債務未確定であるため、損金の額に算入されない。

(2) 損金不算入となる租税公課は限定列挙である。しっかり覚えること。本問においては下記のものが該当する。

① 中間申告分法人税

② 中間申告分地方法人税

③ 中間申告分県民税及び市民税

④ 印紙税の過怠税

⑤ 源泉所得税に係る不納付加算税 ┐ まとめて損金経理附帯税等

⑥ 源泉所得税に係る延滞税 ┘

⑦ 当社役員が業務中に犯した交通違反の反則金

2．交際費等

(1) 交際費等の損金不算入額の計算における交際費等は、接待、供応、慰安、贈答等のために支出する費用がすべて計算対象となる包括概念であるが、本問において下記の費用は交際費等には該当しない。

① 得意先を対象に実施した会議に際し茶菓、弁当の購入に通常要する費用（800,000円）

⇒ 会議費になる。

② 神社の祭礼に係る町内会への寄附金（1,000,000円）

⇒ 支出寄附金（その他の寄附金）に含まれる。

(2) 交際費等のうち接待飲食費については、その50％を損金算入することができるが、当社は中小法人（期末資本金の額が1億円以下（3,000万円）であり、かつ、資本金5億円以上の法人（大法人）による完全支配関係がない。）であるため、定額控除限度をとることもできる。したがって、いずれかの有利選択となる。

(3) 交際費等は接待等の行為があった時点で認識（債務確定主義）し、支出交際費等の額に含めることになる。したがって、令和8年3月25日に得意先を料亭で接待した費用については、1人当たりの費用が10,000円を超えており交際費等に該当するため、法人税法第22条によりいったん別表4で減算し、かつ、支出交際費等に含めて「交際費等の損金不算入額」の計算を行うことになる。

	会 社 経 理	別表4における処理
当期 （前期）	未 処 理	① 未払交際費認定損（減算） ② 支出交際費等の額に含める。
翌期 （当期）	（借）交際費 （貸）現 金	① 前期未払交際費否認（加算） ② 支出交際費等の額に含めない。

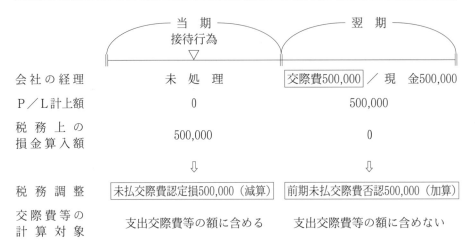

	当 期 接待行為	翌 期
会 社 の 経 理	未 処 理	交際費500,000 ／ 現 金500,000
Ｐ／Ｌ計上額	0	500,000
税 務 上 の 損 金 算 入 額	500,000	0
	⇩	⇩
税 務 調 整	未払交際費認定損500,000（減算）	前期未払交際費否認500,000（加算）
交 際 費 等 の 計 算 対 象	支出交際費等の額に含める	支出交際費等の額に含めない

3．寄附金

(1) 寄附金に関しては現実に支出した時点で認識（現金主義）することとなるため、期末現在未払いであるものは支出寄附金の額から除き、仮払いであっても当期中に支出されたものであれば、支出寄附金の額に含めることになる。

	会 社 経 理	別表4における処理
当期 （前期）	（借）仮払金 （貸）現 金	① 仮払寄附金認定損（減算） ② 支出寄附金の額に含める。
翌期 （当期）	（借）寄附金 （貸）仮払金	① 前期仮払寄附金否認（加算） ② 支出寄附金の額に含めない。

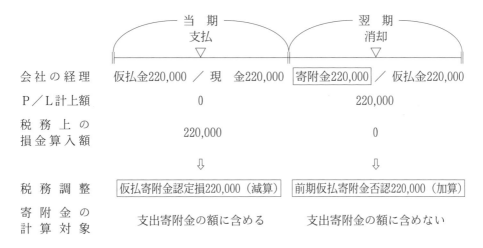

	当期 支払 ▽	翌期 消却 ▽
会社の経理	仮払金220,000 ／ 現 金220,000	寄附金220,000 ／ 仮払金220,000
P／L計上額	0	220,000
税務上の 損金算入額	220,000	0
	⇩	⇩
税務調整	仮払寄附金認定損220,000（減算）	前期仮払寄附金否認220,000（加算）
寄附金の 計算対象	支出寄附金の額に含める	支出寄附金の額に含めない

(2) 関連会社に対して利益供与を目的として土地の贈与が行われているため、贈与時の時価
（90,000,000円）を寄附金（その他の寄附金）として認識する。

4．減価償却

(1) 償却方法

① 減価償却資産の償却方法は、平成19年3月31日以前に取得をされたものは旧定率法又は旧
定額法により、平成19年4月1日以後に取得をされたものは定率法又は定額法による。

なお、定率法については平成24年4月1日以後取得したものは200%定率法、平成24年3
月31日以前取得したものは250%定率法となる。

② 平成19年4月1日以後に取得をされたものについては残存価額がないため、旧定額法と定
額法の計算式の違い（有形減価償却資産について0.9を乗ずるか否か）に注意すること。

③ 定率法による償却限度額の計算においては、償却保証額との比較をする必要がある。具体
的には、次のように計算する。

イ 期首帳簿価額 × 定率法償却率 ロ 取得価額 × 保証率 ハ イ ≧ ロの場合 　期首帳簿価額 × 定率法償却率（期中供用の場合には × $\dfrac{供用日から期末までの月数}{当期の月数}$） 　イ ＜ ロの場合 　改定取得価額 × 改定償却率

（注）改定取得価額……期首帳簿価額 × 定率法償却率 ＜ 償却保証額となった事業年度におけ
る期首帳簿価額をいう。

(2) B器具備品

少額の減価償却資産については1個、1組又は1そろいごとに判定することとなる。本問に
おいては10個1組（900,000円）で判定を行うこととなるので、少額の減価償却資産には該当

しない。したがって、消耗品費として費用に計上した金額は「償却費として損金経理した金額」として取り扱っていくこととなる。

(3)　D車両

　　償却可能限度額まで償却した事業年度の翌事業年度以後の償却限度額は次のとおりである。

$$（取得価額×5％－1円）× \frac{その事業年度の月数}{60}$$

5．受取配当等

(1)　F株式はその他株式等に該当するため、配当等の額の50％相当額が益金不算入となる。

(2)　G証券投資信託は特定株式投資信託以外の証券投資信託であるため、受取配当等の益金不算入の適用はない。

6．税率区分

　　当社は中小法人に該当するため、法人税額の計算においては、所得金額を年800万円と年800万円超過額に分け、年800万円以下の部分には15％の税率を適用することができる。

　　なお、千円未満端数切捨後の金額に税率を乗じる。

※ □で囲まれた数字は配点を示す。

1．所得金額の計算

区　　　分	金　　額
当 期 純 利 益	171,806,484円
加　算　損金経理納税充当金	35,952,000②
損 金 経 理 法 人 税 等	13,572,000②
損 金 経 理 住 民 税	2,626,000②
圧 縮 積 立 金 積 立 超 過 額	7,200,000②
減 価 償 却 超 過 額 （建 物　C）	1,478,500②
（機 械 装 置 D）	65,625②
（器具備品E、F）	131,000②
（特 許 権）	270,000②
特別償却準備金取崩	4,000,000②
土 地 G 評 価 益 認 容	500,000②
小　　　計	65,795,125

区　　　分	金　　額
減　算　納 税 充 当 金 支 出 事 業 税 等	5,666,000②
圧 縮 積 立 金 積 立	60,000,000②
特 別 償 却 準 備 金 積 立 超 過 額 認 容	142,858②
収 用 等 の 所 得 の 特 別 控 除 額	49,700,000②
受 取 配 当 等 の 益 金 不 算 入 額	87,500②
小　　　計	115,596,358
仮　　　計	122,005,251
控 除 対 象 外 国 法 人 税 額	450,000②
合　　　計	122,455,251
差　引　計	122,455,251
総　　　計	122,455,251
所 得 金 額	122,455,251

（買換え）

(1) 差益割合

$$\frac{\overset{対価}{100,000,000}-(\overset{土地簿価}{31,000,000}+\overset{倉庫簿価}{2,600,000}+\overset{取壊し}{400,000})}{100,000,000}=0.66 \ \boxed{2}$$

(2) 圧縮基礎取得価額

$$145,000,000\times\frac{\overset{面積制限}{1,000㎡\times 5}}{5,800㎡}=\underset{\boxed{2}}{\underline{\underline{125,000,000}}} > 100,000,000 \quad \therefore \ 100,000,000$$

(3) 圧縮限度額

$$100,000,000\times0.66\times0.8=52,800,000$$

(4) 積立超過額

$$60,000,000-52,800,000=7,200,000$$

（減価償却）

(1) 建物C

$$(111,250+\overset{手数料}{1,500,000})-(12,000,000+\overset{手数料}{1,500,000})\times0.059\times\frac{2}{12}=1,478,500$$

(2) 機械装置D

① 償却限度額

イ $(70,434,375+17,690,625)\times0.200=17,625,000$

ロ $90,000,000\times0.06552=5,896,800 \ \boxed{2}$

ハ イ $\geqq$ ロ $\quad \therefore \ 17,625,000$

② 償却超過額

$$17,690,625-17,625,000=65,625$$

(3) 器具備品E、F（グルーピング）

$$(661,000+370,000)-(4,200,000\times0.125+3,000,000\times0.125)=131,000$$

(4) 特許権

$$382,500-1,800,000\times0.125\times\frac{6}{12}=270,000$$

（特別償却準備金）

(1)　要取崩額

$$(28,000,000 - \overset{\text{積立超過}}{1,000,000}) \times \frac{12}{84} = 3,857,142$$

(2)　取崩超過額

$$\overset{\text{要取崩}}{3,857,142} - \overset{\text{会社取崩}}{4,000,000} = \triangle 142,858 \ < \ \overset{\text{積立超過}}{1,000,000} \quad \therefore \ 142,858 \ （認容）$$

（収用等）

(1)　譲渡益

$$\overset{\text{対価}}{60,000,000} - \{(\overset{\text{簿価}}{10,000,000} - \overset{\text{評価益否認}}{500,000}) + \overset{\text{経費}}{800,000}\} = 49,700,000$$

(2)　限度額　50,000,000　☑2

(3)　(1) ＜ (2)　　∴　49,700,000

（受取配当等の益金不算入額）

87,500（完全子法人株式等）

（控除対象外国法人税額）

$$450,000 \ < \ \overset{\text{H株配当}}{4,500,000} \times \underset{\boxed{2}}{\underset{\sim\sim\sim\sim}{35\%}} \quad \therefore \ 450,000$$

2．法人税額の計算

区　　　分	税率	金　　額	計　算　過　程　　（単位：円）
所　得　金　額	％	122,455,251円	**（控除外国税額）＜形式 [2]＞**
税額計算　年800万円以下の金額　8,000,000	15	1,200,000	⑴　控除対象外国法人税額 450,000
年800万円超過額　114,455,000 （千円未満切捨）	23.2	26,553,560	⑵　控除限度額 法人税額　　※ 27,753,560×$\frac{4,500,000}{122,455,251}$＝1,019,891 差引計
法　　人　　税　　額		27,753,560	※　(4,500,000－450,000)＋控除対象外国税 450,000 ＝4,500,000
法　人　税　額　計		27,753,560	差引計 ＜　122,455,251×90%　∴　4,500,000
控　除　外　国　税　額		450,000[2]	⑶　⑴ ＜ ⑵　∴　450,000
差引所得に対する法人税額 （百円未満切捨）		27,303,500	
中　間　申　告　分　法　人　税　額		12,304,700[2]	
差　引　確　定　法　人　税　額		14,998,800 〈記載 [2]〉	

【配　点】　[2]×25カ所　　合計50点

解答への道

1．買換えの圧縮記帳

(1) 圧縮基礎取得価額の計算上、土地等の面積制限があることを忘れないこと。

(2) 計算パターンは次のとおりである。（積立金方式の場合）

---

① 圧縮積立金積立（減算）

② 差益割合

$$\frac{譲渡対価の額 - (譲渡直前の簿価 + 譲渡経費の額)}{譲渡対価の額}$$

③ 圧縮基礎取得価額

 イ 買換資産の取得価額（5倍の面積制限）
 ロ 譲渡資産の譲渡対価の額 }少ない方

④ 圧縮限度額

 圧縮基礎取得価額 × 差益割合 × 80％

⑤ 積立超過額

 会社計上積立額 － 圧縮限度額 ＝ { (－) 積立不足額 ⇒ 処理なし
 (＋) 積立超過額 ⇒ 圧縮積立金積立超過額（加算）

⑥ 減価償却限度額

 （本来の取得価額 － 圧縮損金算入額）× 償却率 × $\dfrac{X}{12}$

⑦ 減価償却超過額

 会社計上償却費 － 減価償却限度額 ＝（加算）

2．減価償却、特別償却準備金

(1) 法人税法における減価償却資産の主な償却方法は、その取得をした日に応じ、次のように定められている。

① 平成19年3月31日以前に取得をされた減価償却資産

資　産　の　区　分	償　却　方　法	法定償却方法
有　形　減　価　償　却　資　産	旧定額法・旧定率法	旧定率法
平成10年4月1日以後取得した建物	旧定額法のみ	———
無　形　減　価　償　却　資　産	旧定額法のみ	———

② 平成19年4月1日以後に取得をされた減価償却資産

資　産　の　区　分	償却方法	法定償却方法
有　形　減　価　償　却　資　産	定額法・定率法	定率法
建　　　　　　　　　　物	定額法のみ	———
無　形　減　価　償　却　資　産	定額法のみ	———

③ 平成28年4月1日以後に取得をされた減価償却資産

資　産　の　区　分	償却方法	法定償却方法
有　形　減　価　償　却　資　産	定額法・定率法	定率法
建物・附属設備・構築物	定額法のみ	———
無　形　減　価　償　却　資　産	定額法のみ	———

（注1）平成24年4月1日以後取得の定率法適用資産については200％定率法による。

（注2）有形減価償却資産につき、償却方法の選定・届出をしなかった場合には、法定償却方法により償却する。

(2) 建　　　物　　C……費用処理されている購入手数料は、取得価額に加算するとともに、会社計上償却費に含める。

(3) 機　械　装　置　D……前期に特別償却準備金の積立を行っており、機械装置Dの耐用年数が10年であるため、当期にはその84分の12を取り崩すことになる。なお、取り崩すもととなる金額は積立時の損金算入額であるため、会社積立額と積立限度額のいずれか少ない金額となる。

また、剰余金の処分により取り崩した特別償却準備金の額を別表4で加算する。

(4) 器具備品E、F……①構造・用途・細目、②耐用年数及び③償却方法が同一であるためグルーピングする。なお、本問では、定額法を選定していることに注意すること。

(5) 特　　　許　　権……償却方法は定額法であり、期中供用の場合には月数按分を行う必要がある。

3．収用等の所得の特別控除

(1) 評価益の否認額の認容は、別表4で加算調整となる。評価損の否認額の認容と調整が逆となるため注意すること。

(2) 収用等の所得の特別控除額の計算パターンは、次のようになる。

① 譲渡益

$$\text{対価補償金等の額} - \left\{ \text{譲渡資産の譲渡直前の帳簿価額} + \left[\text{譲渡経費の額} - \text{譲渡経費に充てるための補償金} \right] \right\}$$

② 控除限度額

5,000万円 － その年分で既に控除を受けた金額

③ 損金算入額

①と②の少ない方 ⇨ 収用等の所得の特別控除額（減算）

4．受取配当等の益金不算入額

Ｉ株式は完全子法人株式等に該当するため、配当の全額が益金不算入となる。

なお、完全子法人株式等に係る配当等からは源泉所得税額等は徴収されない。

問題 3 　　　　　　　　　　　　　解 答

※ 　□で囲まれた数字は配点を示す。

1. 所得金額の計算

<table>
<tr><th colspan="2">区　　　　分</th><th>金　　額</th><th colspan="2">区　　　　分</th><th>金　　額</th></tr>
<tr><td colspan="2">当 期 純 利 益</td><td>60,359,571円</td><td rowspan="5">減</td><td>納 税 充 当 金
支 出 事 業 税 等</td><td>5,683,000②</td></tr>
<tr><td rowspan="10">加</td><td>損 金 経 理 納 税 充 当 金</td><td>26,359,200②</td><td>一 括 貸 倒 引 当 金
繰 入 超 過 額 認 容</td><td>273,250②</td></tr>
<tr><td>損 金 経 理 法 人 税 等</td><td>13,780,800②</td><td>建 物 減 価 償 却
超 過 額 認 容</td><td>1,425,000②</td></tr>
<tr><td>損 金 経 理 住 民 税</td><td>2,682,000②</td><td rowspan="2">受 取 配 当 等 の
益 金 不 算 入 額</td><td rowspan="2">1,104,500②</td></tr>
<tr><td>損 金 経 理 附 帯 税 等</td><td>250,000②</td></tr>
<tr><td>役 員 給 与 の 損 金 不 算 入 額</td><td>200,000②</td><td rowspan="3">算</td><td></td></tr>
<tr><td>一 括 貸 倒 引 当 金
繰 入 超 過 額</td><td>133,780②</td><td></td></tr>
<tr><td>減 価 償 却 超 過 額</td><td></td><td></td></tr>
<tr><td>（器 具 備 品 B）</td><td>336,000②</td><td colspan="2">小　　　　計</td><td>8,485,750</td></tr>
<tr><td>（建　　物　　D）</td><td>4,641,456②</td><td colspan="2">仮　　　　計</td><td>101,707,057</td></tr>
<tr><td>繰 延 資 産 償 却 超 過 額</td><td>1,450,000②</td><td colspan="2">法 人 税 額 控 除 所 得 税 額</td><td>190,416②</td></tr>
<tr><td rowspan="3">算</td><td></td><td></td><td colspan="2"></td><td></td></tr>
<tr><td></td><td></td><td colspan="2">合　　　　　　　　計</td><td>101,897,473</td></tr>
<tr><td></td><td></td><td colspan="2">差　　引　　計</td><td>101,897,473</td></tr>
<tr><td></td><td></td><td></td><td colspan="2">総　　　　　　　　計</td><td>101,897,473</td></tr>
<tr><td colspan="2">小　　　　計</td><td>49,833,236</td><td colspan="2">所　得　金　額</td><td>101,897,473</td></tr>
</table>

（附帯税等）

　　52,000＋20,000＋178,000＝250,000

（貸倒引当金）

(1)　貸倒実績率による限度額

　①　一括評価金銭債権の額

　　　売掛金　　　受取手形　　貸付金　　　未収金
　　50,000,000＋35,000,000＋25,000,000＋7,800,000＝117,800,000　[2]

　②　貸倒実績率

$$\frac{4,316,500\times\frac{12}{36}}{440,450,000\div 3}=0.0098002\cdots \to 0.0099 \ \boxed{2}$$

　③　繰入限度額　117,800,000×0.0099＝1,166,220

(2)　法定繰入率による限度額

　①　一括評価金銭債権の額　117,800,000

　②　実質的に債権とみられないものの額

　　イ　原則法

　　　　　　売掛金　　受取手形　　　　　　　借入金
　　　X社　5,000,000＋1,200,000＝6,200,000＞6,000,000　　∴　6,000,000

　　ロ　簡便法

$$117,800,000\times\frac{3,430,000＋7,155,000}{157,100,000＋154,220,000}(0.034)=4,005,200$$

　　ハ　イ＞ロ　　∴　4,005,200

　③　繰入限度額

$$(117,800,000－4,005,200)\times\frac{10}{1,000}=1,137,948 \ \boxed{2}$$

(3)　繰入限度額

　　(1)＞(2)　　∴　1,166,220

(4)　繰入超過額

　　1,300,000－1,166,220＝133,780

（減価償却）

(1) 器具備品A

① 償却限度額

イ $(3,500,000+12,000,000)×0.250=3,875,000$

ロ $40,000,000×0.04448=1,779,200$

ハ イ ≧ ロ ∴ $3,875,000$

② 償却超過額

$3,500,000-3,875,000=△375,000$ ∴ 処理なし ②

(2) 器具備品B

① 償却限度額

イ $26,000,000×0.200=5,200,000$

ロ $26,000,000×0.06552=1,703,520$

ハ イ ≧ ロ ∴ $5,200,000$

ニ $5,200,000×\dfrac{11}{12}=4,766,666$

② 償却超過額

$5,102,666-4,766,666=336,000$

（保険差益）

(1) 滅失経費の按分

消防費　焼跡整理費
$(600,000+480,000)×\dfrac{\overset{\text{建物保険金}}{45,000,000}}{\underset{\text{建物保険金　商品保険金}}{45,000,000+9,000,000}}=900,000$ ②

(2) 差引保険金の額

$45,000,000-900,000=44,100,000$

(3) 保険差益金の額

直前簿価　繰越超過
$44,100,000-(8,400,000+1,425,000)=34,275,000$

(4) 圧縮限度額

※建物D
$34,275,000×\dfrac{40,500,000}{44,100,000}=31,477,040$ ※ $40,500,000 < 44,100,000$ ∴ $40,500,000$

(5) 圧縮超過額

減価償却へ
$36,000,000-31,477,040=4,522,960$

(6) 減価償却超過額

圧縮超過　　　　　　　　　　圧縮損金算入額
$(178,649+4,522,960)-(40,500,000-31,477,040)×0.020×\dfrac{4}{12}=4,641,456$

（受取配当等の益金不算入額）

(1)　配当等の額

　①　関連　　E株式
　　　　　　 1,050,000　2

　②　非支配　F株式
　　　　　　 482,500　2

(2)　益金不算入額

　①　(2,290,000－250,000)×10％＝204,000　2

　②　1,050,000×4％＝42,000

　③　控除負債利子

　　　①　＞　②　　∴　42,000

　④　益金不算入額

　　　(1,050,000－42,000)＋482,500×20％＝1,104,500

（法人税額控除所得税額）

(1)　株式出資

　　F株式
　　98,526

(2)　受益権

　　G証投
　　61,260

(3)　その他

　　H公投
　　30,630

(4)　(1)＋(2)＋(3)＝190,416

問題
3

解答

計 算 過 程	（単位：円）

（繰延資産）

$$1,800,000-1,800,000\times\frac{7月}{\underset{※}{3年\times12月}}=1,450,000$$　　※　$5年\times\dfrac{7}{10}=3.5年\ \rightarrow\ 3年\ <\ 5年\ \ \therefore\ 3年$

２．法人税額の計算

区　　　　分	税率	金　　額	計 算 過 程　　（単位：円）
所 得 金 額	％	101,897,473円	
税額計算　年800万円以下の金額　　　　8,000,000	15	1,200,000	
年800万円超過額　　　　93,897,000　（千円未満切捨）	23.2	21,784,104	
法 人 税 額		22,984,104	
法 人 税 額 計		22,984,104	
控 除 所 得 税 額		190,416 ②	
差 引 所 得 に 対 す る 法 人 税 額　（百円未満切捨）		22,793,600	
中 間 申 告 分 法 人 税 額		12,494,000 ②	
差 引 確 定 法 人 税 額		10,299,600〈記載 ②〉	

【配　点】　②×25カ所　　合計50点

解答への道

1．租税公課

　　役員が業務外で犯した交通違反に係る交通反則金は、損金経理交通反則金ではなく役員給与の損金不算入額として加算する。

2．貸倒引当金

(1)　前期の繰入額を取り崩して収益計上している場合は、二重課税を排除する意味で必ず前期における繰入超過額を認容減算すること。

(2)　法定繰入率による限度額の計算上、実質的に債権とみられないものの額の原則法の計算は、各取引先ごとに債権・債務の合計額で比較すること。

(3)　一括貸倒引当金繰入限度額の計算の基礎となる一括評価金銭債権は、売掛金、貸付金その他これらに準ずる金銭債権である。この一括評価金銭債権は、「将来金銭による取立てを目的としているもの」をその範囲とし、回収することを本来の目的としていない保証金等は除外している。

　　① 一括評価金銭債権に該当するもの

　　　イ 売掛金、貸付金、受取手形

　　　ロ 次に掲げるもので、益金の額に算入されたもの

　　　　(イ) 資産の譲渡対価たる未収金

　　　　(ロ) 役務提供の対価たる未収加工料、未収請負金、未収手数料、未収保管料
　　　　　　未収地代家賃等

　　　　(ハ) 貸付金の未収利子

　　　　(ニ) 損害賠償金の未収金

　　　ハ 他人のために立替払いした場合の立替金

　　　ニ 保証債務を履行した場合の求償権

　　　ホ 売掛金、貸付金等の債権について取得した先日付小切手

　　　ヘ 割引（裏書）手形（売掛金、貸付金等の既存債権があるもの）

　　② 一括評価金銭債権に該当しないもの

　　　次に掲げるものは一括貸倒引当金繰入限度額の計算の基礎となる「一括評価金銭債権」には該当しない。

　　　イ 預貯金・公社債に係る未収利子、未収配当等

　　　ロ 保証金、敷金、預け金等（これらに係る利息等を含む。）

　　　ハ ゴルフ会員権等

　　　ニ 手付金、前渡金等
　　　　資産の取得代価に充てるもの、費用の支出に充てるもの

ホ　仮払金、立替金等

　　将来精算される費用の前払分（前払給料、概算払旅費、前渡交際費等）

ヘ　未収金

　(イ)　雇用調整給付金等の未収金（法令に基づくもの）

　(ロ)　仕入割戻しの未収金

ト　既存債権と関係のない割引（裏書）手形

3．減価償却

　器具備品Ａ及びＢは、構造、用途及び細目が同一であるが、取得日の違いからＡは250％定率法、Ｂは200％定率法で償却することとなり、グルーピングは行わない。

4．保険差益

(1)　適用要件

①　固定資産の滅失又は損壊により保険金等の支払を受けること。

②　保険金取得事業年度に代替資産（滅失資産と同一種類の固定資産）の取得等を行うこと。

(2)　経理要件

①　直接減額方式……損金経理

②　積 立 金 方 式……剰余金の処分による経理

　(注)　②の方法によったときは、①と同様の効果を与えるために申告書において減算する必要がある。

　　　　……圧縮積立金積立（減算・留保）

(3)　損金算入

$$
\text{会社計上圧縮額} - \text{圧縮限度額} = \begin{cases} \text{(-)} \text{圧縮不足額} \longrightarrow \text{処理なし} \\ \text{(+)} \text{圧縮超過額} \longrightarrow \begin{cases} \text{直接減額方式……償却計算に織り込む} \\ \text{積 立 金 方 式……圧縮積立金積立超過額} \\ \text{（加算・留保）} \end{cases} \end{cases}
$$

(4)　圧縮限度額

$$
\text{圧縮限度額} = \overset{\text{(注2)}}{\text{保険差益金の額}} \times \frac{\text{代替資産の取得等に充てた保険金等の額（分母が限度）}}{\underset{\text{(注1)}}{\text{差引保険金等の額}}}
$$

　(注1)　差引保険金等の額 ＝ 保険金等の額 － 滅失経費の額（取壊費、整理費、消防費）

　(注2)　保険差益金の額 ＝ 差引保険金等の額 － 被災資産の被災直前帳簿価額（税務上の金額）

(5)　2以上の種類の資産が滅失した場合

①　保険差益金の額は、各資産の種類ごとに計算する。

②　共通の滅失経費の各資産への按分

$$共通滅失経費 \times \frac{個々の保険金等の額}{取得保険金等の合計額}$$

（注）按分は圧縮記帳の対象とならない棚卸資産に係る保険金も分母の計算に含めなければ
　　　ならない。

(6) 本問において注意すべき点は以下のとおりである。

① 滅失経費となる消防費、焼跡整理費を建物と棚卸商品へ按分すること。

② 保険差益金の算定上、差引保険金の額から焼失直前の帳簿価額（税務上の帳簿価額）を控
除するとともに、繰越償却超過額1,425,000円を別表4で減算する。

③ 代替資産の取得価額から圧縮限度額相当額を控除した金額をもって減価償却限度額の計算
を行うこと。

5．受取配当等

(1) G証券投資信託及びH公社債投資信託の収益分配金については、益金不算入の対象とならな
い。

(2) 本問の、控除負債利子を計算する場合の計算パターンは、次のようになる。

---

(1) 配当等の額

(2) 益金不算入額

　① 支払利子等の額の合計額×10％

　② 関連法人株式等に係る配当等の額の合計額×4％

　③ 控除負債利子

　　イ ①＞②の場合

　　　関連法人株式等に係る配当等の額×4％

　　ロ ①≦②の場合

$$支払利子等の額 \atop の合計額×10％ \times \frac{その配当等の額}{関連法人株式等に係る配当等の額の合計額}$$

　④ 益金不算入額

　　完全法人株式等に係る配当等の額

　　＋関連法人株式等に係る（配当等の額－控除負債利子）

　　＋その他株式等に係る配当等の額 × 50％

　　＋非支配目的株式等に係る配当等の額 × 20％

6．繰延資産

広告宣伝用資産の贈与費用（広告宣伝用資産を贈与した場合には、その資産の取得価額相当額）
は繰延資産に該当し、この場合の償却期間は「5年」と「耐用年数の10分の7」のいずれか少な
い方である。繰延資産の償却期間は定期的に確認すること。

※　□で囲まれた数字は配点を示す。

（所得金額の計算）

区　　　分	金　　額
当 期 純 利 益	124,900,085円
加　損金経理納税充当金	32,740,000 ①1
損金経理法人税等	41,760,000 ①1
損金経理住民税	8,240,000 ①1
損金経理附帯税等	81,400 ②2
土 地 計 上 も れ	41,000,000 ②2
減 価 償 却 超 過 額 （建　　　物）	1,498,600 ②2
（機械装置 A）	283,334 ②2
（機械装置 B）	100,000 ②2
（器具備品 C）	186,000 ②2
特別償却準備金取崩	315,000 ②2
E 社 株 式 譲 渡 原 価 過　大　計　上	5,000,000 ②2
前期仮払交際費否認	265,000 ②2
算　交 際 費 等 の 損 金 不 算 入 額	900,000 ②2
小　　　計	132,369,334

区　　　分	金　　額
減　法 人 税 等 未 払 金 支 出 事 業 税 等	5,762,000 ①1
減価償却超過額認容 （ソフトウエア）	193,725 ②2
（器具備品 D）	31,356 ②2
特 別 償 却 準 備 金 積 立 超 過 額 認 容	105,000 ②2
受 取 配 当 等 の 益 金 不 算 入 額	190,000 ②2
収 用 等 の 所 得 の 特 別 控 除 額	12,276,000 ②2
算　小　　　計	18,558,081
仮　　　　計	238,711,338
法人税額控除所得税額	220,025 ②2
合　　　　計	238,931,363
差　引　　計	238,931,363
総　　　　計	238,931,363
所 得 金 額	238,931,363

（附帯税等）

$27,000+54,400=81,400$

（圧縮記帳）

(1) 土 地

① 判 定

譲渡時価　取得時価　　　　　　多い方
$123,000,000-95,000,000=28,000,000＞123,000,000×20\%$　　∴ 適用なし [1]

② 圧縮超過額

取得時価　　譲渡簿価
$(95,000,000-54,000,000)-0=41,000,000$

(2) 建 物

① 判 定

譲渡時価　取得時価　　　　　　多い方
$17,000,000-16,000,000=1,000,000≦17,000,000×20\%$　　∴ 適用あり [1]

② 経費按分

$4,200,000×\dfrac{17,000,000（建物時価）}{140,000,000}=510,000$

③ 圧縮限度額

取得時価　　譲渡簿価　　経費
$16,000,000-(12,000,000+510,000)×\dfrac{16,000,000}{16,000,000+1,000,000}=4,225,883$ [1]

④ 圧縮超過額

取得時価　　譲渡簿価
$(16,000,000-12,000,000)-4,225,883=△225,883$　　⇒ 処理なし

（減価償却）

(1) 建 物

償却費　　　　　　　　　圧縮損金算入
$1,690,600-(16,000,000-4,000,000)×0.032×\dfrac{6}{12}=1,498,600$

(2) 機械装置A

① $20,000,000×0.200=4,000,000$

② $20,000,000×0.06552=1,310,400$

③ ① ≧ ②　∴ $4,000,000$

④ $9,616,667-(4,000,000×\dfrac{10}{12}+20,000,000×30\%（特別償却）)=283,334$

(3) 機械装置B

① 30,000,000×0.200＝6,000,000

② 30,000,000×0.06552＝1,965,600

③ ①≧②　∴　6,000,000

④ $14,100,000-(6,000,000×\dfrac{10}{12}+30,000,000×\overset{特別償却}{30\%})=100,000$

(4) ソフトウエア

506,275－3,500,000×0.200＝△193,725　＜　443,625　　∴　193,725（認容）

(5) 器具備品C

① (280,000＋30,000)×0.400＝124,000

② (280,000＋30,000)×0.10800＝33,480

③ ①≧②　∴　124,000

④ $\overset{購入代価}{(280,000}+\overset{付随費用}{30,000})-124,000×\dfrac{12}{12}=186,000$

(6) 器具備品D

$99,274-(366,212+99,274+\overset{繰越超過}{168,644})×0.206=△31,356　＜　168,644　　∴　31,356（認容）$

(特別償却準備金)

$\overset{会社計上}{(1,575,000}-\overset{積立超過}{525,000})×\dfrac{12}{60\text{※}}-\overset{会社取崩}{315,000}=△105,000　＜　525,000　　∴　105,000（認容）$

※　60月＝5年×12月＝60月　∴60月

(受取配当等の益金不算入額)

(1) 配当等の額（非支配）

$\overset{E株}{500,000}+\overset{受益}{450,000}=950,000$

(2) 益金不算入額

950,000×20%＝190,000

(法人税額控除所得税額)

(1) 株式出資

102,100

(2) 受益権

68,917

(3) その他

49,008

(4) (1)＋(2)＋(3)＝220,025

（有価証券）

(1)　1単位当たりの帳簿価額（移動平均法）

$$\frac{100,000株×800+50,000株×950}{100,000株+50,000株}=850 \boxed{1}$$

(2)　譲渡原価過大計上

会社　　税務
$$(950-850)×50,000株=5,000,000$$

（収用等の特別控除）

(1)　譲渡益

$$25,000,000-(12,000,000+724,000)=12,276,000$$

(2)　限度額

令和7年3月分

①　$32,000,000-(13,000,000+400,000)=18,600,000$

②　$50,000,000-18,600,000=31,400,000 \boxed{1}$

(3)　(1) ＜ (2)　∴ 12,276,000

（交際費等）

(1)　支出交際費等

交際費勘定　カレンダー　前期仮払　　商談
$$9,835,000 - 470,000 - 265,000 - 200,000 = 8,900,000 \boxed{1}$$

(2)　損金不算入額

※
$$8,900,000-8,000,000=900,000$$

飲食費
$$※　100,000×50\% ＜ 8,000,000×\frac{12}{12}　∴ 8,000,000$$

(法人税額の計算)

区　　　　分	金　額	計　算　過　程　　（単位：円）
所　得　金　額	238,931,363円	
内　訳　年800万円相当額　①	8,000,000	
年800万円超過額 （千円未満切捨）　②	230,931,000	
税　①　×　（　15　）　％	1,200,000	
②　×　（23.2②）　％	53,575,992	
額　法　人　税　額	54,775,992	
法　人　税　額　計	54,775,992	
控　除　所　得　税　額	220,025	
差引所得に対する法人税額 （　百　円　未　満　切　捨　）	54,555,900	
中　間　申　告　分　法　人　税　額	37,900,000①	
差　引　確　定　法　人　税　額	16,655,900	

（別表 5（一）の I ）

区　　分	期首利益 積立金額	当期の増減 減	当期の増減 増	差引翌期首現在 利益積立金額
	①	②	③	④
利　益　準　備　金	10,000,000円	円	円	10,000,000円
別　途　積　立　金	30,000,000			30,000,000
ソ　フ　ト　ウ　ェ　ア	443,625	193,725		249,900
器　具　備　品　D	168,644	31,356		137,288
特　別　償　却　準　備　金	1,575,000	315,000 ⎫ 1		1,260,000
特　別　償　却　準　備　金　積　立	△ 1,575,000	△ 315,000 ⎬		△ 1,260,000
特別償却準備金積立超過	525,000	105,000		420,000
仮　払　交　際　費	△ 265,000	△ 265,000		0 1
土　　　　　　　　地			41,000,000	41,000,000
建　　　　　　　　物			1,498,600	1,498,600
機　械　装　置　A			283,334	283,334
機　械　装　置　B			100,000	100,000
器　具　備　品　C			186,000	186,000
E　社　株　式			5,000,000	5,000,000
繰　越　損　益　金	419,250,000	419,250,000	544,465,085	544,465,085
納　税　充　当　金	53,462,000	53,462,000	32,740,000	32,740,000 1
未納法人税等　未納法人税及び未納地方法人税	△ 42,700,000	△ 84,460,000 ⎫ 1	中間 △ 41,760,000 / 確定 △ 18,415,000	△ 18,415,000（記載 1 ）
未納法人税等　未納住民税	△ 5,000,000	△ 13,240,000 ⎬	中間 △ 8,240,000 / 確定	
差　引　合　計　額	465,884,269			

【配　点】　1 ×16カ所　　2 ×17カ所　　合計50点

問題4

解答

1．租税公課等

(1) 当社は、当期分の確定申告において納付する法人税、地方法人税、住民税及び事業税を未払法人税等として見積計上している。しかし、法人税法においては、債務確定基準を採用しており、費用の見積計上は認めていない。したがって、未払法人税等の繰入額は別表4において加算することとなる。

(2) 前期末において費用計上した未払法人税等を取り崩して、前期分の確定申告に係る法人税、住民税及び事業税を納付しているが、確定申告分の事業税に関しては、確定申告書を提出した日の属する事業年度に損金の額に算入する。しかし、当社は、費用計上を行っていないので、別表4において減算することとなる。

(3) 当期に費用計上した租税公課等のうち、以下のものは損金不算入であるため、別表4において加算することとなる。

① 中間申告分法人税

② 中間申告分地方法人税

③ 中間申告分住民税

④ 印紙税の過怠税　｝まとめて損金経理附帯税等

⑤ 源泉所得税に係る不納付加算税

2．交　換

(1) 交換の圧縮記帳は、時価の差額がいずれか大きい時価の20％以内でなければ適用できない。本問では土地について圧縮記帳を適用することはできないので、会社計上の圧縮損の全額（本問では付替経理。下記(3)参照。）が否認される。判定は必ず行うこと。なお、本問は8年前に取得していることから特定資産の交換の要件も満たさない。

(2) 譲渡経費は、土地について圧縮記帳の適用がなくても譲渡資産の時価で按分する。

(3) 付替経理をした場合の会社計上圧縮損は計算できるようにしてほしい。

> 会社計上圧縮損 ＝ 交換取得資産の時価 － 交換取得資産の会社計上の帳簿価額

3．減価償却・特別償却準備金

(1) 建　物

圧縮記帳の適用を受けた資産は、下記の金額をもって取得価額とする。なお、平成19年4月1日以後の取得であるため定額法が適用される。

> 圧縮記帳後の取得価額 ＝ 本来の取得価額 － 圧縮による損金算入額

したがって、建物の償却限度額の計算上、「交換取得資産の時価（16,000,000円）から圧縮損金算入額（4,000,000円）を控除した金額」を基礎とすることとなる。

(2) 機械装置

　　機械装置Ａ及び機械装置Ｂは、設備の種類、細目が同一ではあるが、特別償却の適用を受けるため、グルーピングの適用はない。なお、期末資本金の額が3,000万円を超えるため、特別控除の適用はない。

(3) ソフトウエアについて積み立てていた特別償却準備金は、積立の翌事業年度から５年間（耐用年数が５年の場合）で均分に取り崩す。なお、損金算入額を取り崩すのであって、会社計上額ではないことに注意を要する。

(4) 器具備品Ｃについては、会計上の取得価額が280,000円であり、かつ、全額を損金経理しているが、取得価額に含めるべき付随費用を費用処理しているため、税務上の取得価額は310,000円となる。したがって、中小企業者等の少額減価償却資産の特例の規定の適用はない。

(5) 器具備品Ｄ

　　器具備品Ｄには繰越償却超過額があるため、償却限度額の計算上、会計上の帳簿価額に加えるとともに、償却不足額が生じた場合には繰越償却超過額をその償却不足額の範囲内で認容減算する。

４．受取配当等

　　Ｅ社株式の譲渡原価の計算期間は、当社の事業年度である。控除所得税額の計算期間とは異なる点に注意してほしい。また、１単位当たりの帳簿価額の計算は、法定算出方法である移動平均法により行われる。別表４での調整においては、加算と減算を逆にしないように注意すること。

５．収用等の所得の特別控除

　　収用等の所得の特別控除は、一暦年最高5,000万円までしか特別控除を受けることができないので、令和７年分（令和７年１月１日〜令和７年12月31日）の5,000万円のうち前期中の令和７年３月に行った譲渡について受けた特別控除額（18,600,000円）を控除して、当期分の特別控除額を計算する。

６．交際費等

(1) 交際費等とは、接待、供応、慰安、贈答等のために支出する費用がすべて計算対象となる包括概念であるが、「当社の社名入りカレンダー、手帳の贈答費用」は、広告宣伝費となり交際費等には該当しない。

(2) 交際費等は接待等の行為のあった時点で認識し（債務確定主義）、支出交際費等の額に含める。したがって、本問における前期仮払交際費の当期消却額については、当社の決算上損金経理しているが、既に前期において交際費等として認識しているため、当期の支出交際費等の額に含めず、別表４において加算することとなる。

7．別表 5（一）の I

利益積立金額の計算の明細書（別表 5（一）の I）は、本試験において出題されているため、その記載方法はしっかりマスターしておかなければならない。なお、別表 5（一）の I の記載方法は次のとおりである。

区　　　分	期首現在利益積立金額	当期の増減		差引翌期首現在利益積立金額 ①－②＋③
		減	増	
	①	②	③	④
利益準備金 積立金 各事業年度の所得等の金額のうち留保した項目の科目を記載	前期から繰り越された金額	前期より繰り越された金額を消却する場合に記載する	当期に新たに発生した留保分の増減額　及び　繰越損益金以外の利益剰余金の変動額　を記載する	次期に繰り越す金額
繰越損益金	繰越利益剰余金の前期末残高	①の金額を転記	繰越利益剰余金の当期末残高	③の金額を転記
納税充当金	前期繰越額	期中取崩額	期末引当額	B／S 計上額
未納法人税等　未納法人税及び未納地方法人税	△　期首未納額	△　①と③のうち実際納付分	中間 △	△　期末未納額
			確定 △	
未納道府県民税	△	△	中間 △	△
			確定 △	
未納市町村民税	△	△	中間 △	△
			確定 △	
差引合計額				

※　□で囲まれた数字は配点を示す。

【別表 4 】

区　　　　　　　　　　　　　　分	金　　　額	
	総　　額	留　　保
当　　期　　純　　利　　益	56,174,072円	41,174,072円 ①
加　 役 員 給 与 の 損 金 不 算 入 額	3,925,000 ①	
損 金 経 理 納 税 充 当 金	33,329,600	33,329,600 ①
損 金 経 理 法 人 税 等	4,280,400	4,280,400 ①
損 金 経 理 住 民 税	730,000	730,000 ①
損 金 経 理 附 帯 税 等	190,000 ①	
損 金 経 理 交 通 反 則 金	200,000 ①	
外 国 源 泉 税 の 損 金 不 算 入 額	100,000 ①	
一 括 償 却 資 産 損 金 算 入 限 度 超 過 額	113,334	113,334 ①
未 払 寄 附 金 否 認	600,000	600,000 ①
前 期 仮 払 寄 附 金 否 認	100,000	100,000 ①
交 際 費 等 の 損 金 不 算 入 額	4,475,000 ①	
算　 小　　　　　　　　　　　計	48,043,334	39,153,334

問題
5

解答

区　　　　　　　　　分	金　　　額	
	総　　額	留　　保
減　　　　　　　　　　　算 納税充当金支出事業税等	2,354,800	2,354,800 ①
受取配当等の益金不算入額	940,000 ①	
外国子会社から受ける配当等の益金不算入額	950,000 ①	
減価償却超過額認容（建　　物）	312,501	312,501 ①
（応接セット）	37,500	37,500 ①
小　　　　　　　　計	4,594,801	2,704,801
仮　　　　　　　　計	99,622,605	77,622,605
寄附金の損金不算入額	16,054,234	
法人税額控除所得税額	285,880 ①	
合　　　　　　　　計	115,962,719	77,622,605
差　　引　　計	115,962,719	77,622,605
総　　　　　　　　計	115,962,719	77,622,605
所　得　金　額	115,962,719	77,622,605

（同族会社の判定）

(1)　Aグループ

　　250,000株＋20,000株＋10,000株＋15,000株＝295,000株　□1

(2)　Eグループ

　　5,000株

(3)　$\dfrac{295,000株＋5,000株}{300,000株}$＝100％　＞　50％　　∴　同族会社　□1

（特定同族会社の判定）

(1)　期末資本金1億円超

(2)　被支配会社でない法人を除いて判定

　　$\dfrac{295,000株}{300,000株}$＝0.98…　＞　50％　　∴　特定同族会社　□1

（役員等の判定）

(1)　A．B．C．E…取締役又は監査役　　∴　役員

(2)　使用人兼務役員の判定

　　$\underline{50％超}$　$\underline{10％超}$　$\underline{5％超}$
　C　○　　　○　　　×　　　　常時使用人職務に従事　　∴　使用人兼務役員　□1

(3)　みなし役員の判定

　　$\underline{50％超}$　$\underline{10％超}$　$\underline{5％超}$
　D　○　　　○　　　○　　　　経営に従事　　∴　みなし役員　□1

（役員給与）

(1)　実質基準

　A　800,000×12＋3,200,000－12,500,000＝300,000

　B　800,000×12＋2,400,000－12,000,000＝0

　C　500,000×12＋2,000,000＋250,000×12＋1,000,000－8,675,000＝3,325,000

　D　400,000×12－4,500,000＝300,000

　E　1,000,000×2－2,000,000＝0

　A＋B＋C＋D＋E＝3,925,000

(2)　形式基準

①　取締役

　　{800,000×12＋3,200,000＋800,000×12＋2,400,000＋500,000×12＋2,000,000

　　　　　　C使用人分　　　　　※
　　＋(250,000×12＋1,000,000－3,500,000)}－32,000,000＝1,300,000

　　※　4,000,000　＞　3,500,000　　∴　3,500,000

② 監査役

　　$1,000,000 \times 2 - 3,000,000 < 0$　　∴ 0

③ ①＋②＝1,300,000 ①

(3) (1) ＞ (2)　　∴ 3,925,000

（附帯税等）

　　$130,000 + 60,000 = 190,000$

（受取配当等）

(1) 配当等の額

①　関　連　X株　500,000

②　その他　Y株　920,000

(2) 益金不算入額

①　$1,600,000 \times 10\% = 160,000$

②　$500,000 \times 4\% = 20,000$

③　控除負債利子

　　①＞②　　∴ 20,000

④　益金不算入額

　　$(500,000 - 20,000) + 920,000 \times 50\% = 940,000$

（外国子会社）

　　$1,000,000 - 1,000,000 \times 5\% = 950,000$

（法人税額控除所得税額）

　　Y株　　Z投信
　　$187,864 + 98,016 = 285,880$

（減価償却）

(1) 建　物

　　$1,655,799 - 81,000,000 \times 0.9 \times 0.027 = \triangle 312,501 <$ 繰越超過 $600,000$　　∴ 312,501（認容）

(2) 応接セット

　　$0 - 300,000 \times 0.125 = \triangle 37,500 < 293,750$　　∴ 37,500（認容）

(3)　事務機

　　　88,000 ＜ 100,000　　∴ 是認 ①

(4)　一括償却資産

　　　$170,000 - 170,000 \times \dfrac{12}{36} = 113,334$

（寄附金）

(1)　支出寄附金＜区分 ①＞

　　　　　　　　　　学資　　　義援金
　①　指定等　550,000＋850,000＝1,400,000

　　　　　　　社会福祉
　②　特　定　350,000

　　　　　　　商工　　　　時価　　　　対価
　③　その他　200,000＋（89,960,000－73,210,000）＝16,950,000

　④　①＋②＋③＝18,700,000

(2)　損金算入限度額＜形式 ①＞

　①　特別損金算入限度額

$$\left\{\underset{\text{資本金}}{(200,000,000}+\underset{\text{資本準備金}}{50,000,000)}\times\dfrac{12}{12}\times\dfrac{3.75}{1,000}+\underset{\text{別表4仮計}}{(99,622,605}+\underset{\text{支出寄附金}}{18,700,000)}\times\dfrac{6.25}{100}\right\}\times\dfrac{1}{2}=4,166,331$$

　②　一般寄附金の損金算入限度額

$$\left\{(200,000,000+50,000,000)\times\dfrac{12}{12}\times\dfrac{2.5}{1,000}+(99,622,605+18,700,000)\times\dfrac{2.5}{100}\right\}\times\dfrac{1}{4}=895,766$$

(3)　損金不算入額＜形式 ①＞

　　　支出寄附金　　　指定　　　※　　　　限度　　　　　　　　　　　特定　　　　限度
　　　18,700,000－1,400,000－350,000－895,766＝16,054,234　　※　350,000 ＜ 4,166,331 ∴ 350,000

（交際費等）

　　5,075,000－1,200,000×50％＝4,475,000

【別表1】

区　　　　　分	金　　額	計　算　過　程　　（単位：円）
所　得　金　額	115,962,719円	**（留保金課税）**
内訳　年800万円相当額　①	—	(1)　当期留保金額
年800万円超過額（千円未満切捨）　②	115,962,000	①　所得等の金額のうち留保した金額＜形式 $\boxed{1}$＞ 　　　　　　　前期配当　　当期配当 　　　77,622,605＋15,000,000－30,000,000 　　　＝62,622,605
税額　①　×　—　%	—	②　法人税額＜形式 $\boxed{1}$＞ 　　　　　　　　　　所得税 　　　26,903,184－285,880＝26,617,304
②　×　23.2　%	26,903,184	③　地方法人税額 　　　2,771,000
法　人　税　額	26,903,184	④　住民税額＜形式 $\boxed{1}$＞ 　　　26,903,184×10.4％＝2,797,931
		⑤　①－②－③－④＝30,436,370
法　人　税　額　計	26,903,184	(2)　留保控除額
		①　所得基準額＜形式 $\boxed{1}$＞ 　　　　　　　　　　　受配　　外国子 　　　(115,962,719＋940,000＋950,000)×40％ 　　　＝47,141,087
控　除　所　得　税　額	285,880	②　定額基準額＜形式 $\boxed{1}$＞ 　　　20,000,000×$\dfrac{12}{12}$＝20,000,000
		③　積立金基準額＜形式 $\boxed{1}$＞ 　　　200,000,000×25％－(108,148,550－15,000,000) 　　　＜0　　∴　0
差引所得に対する法人税額（百円未満切捨）	26,617,300	④　①～③のうち最大 　　　∴　47,141,087
		(3)　課税留保金額
中間申告分法人税額	3,880,700$\boxed{1}$	(1)－(2)　＜0　　∴　0
差引確定法人税額	22,736,600	

【別表 5（一）の I 】

区　　　　　分	期首利益積立金額 ①	当期の増減 減 ②	当期の増減 増 ③	差引翌期首現在利益積立金額 ④
利 益 準 備 金	40,000,000円	円	円	40,000,000円
別 途 積 立 金	35,000,000			35,000,000
仮 払 寄 附 金	△　100,000	△　100,000		0 ①
建　　　　　物	600,000	312,501		287,499 ①
応 接 セ ッ ト	293,750	37,500		256,250 ①
一 括 償 却 資 産			113,334	113,334 ①
未 払 寄 附 金			600,000	600,000 ①
繰 越 損 益 金	30,000,000	30,000,000	71,174,072	71,174,072
納 税 充 当 金	9,090,000	9,090,000	33,329,600	33,329,600 ①
未納法人税等 未納法人税及び未納地方法人税	△　5,745,200	△　10,025,600 ①	中間 △　4,280,400 確定	
未納法人税等 未 納 住 民 税	△　990,000	△　1,720,000 ①	中間 △　730,000 確定	
差 引 合 計 額	108,148,550			

【別表5（二）】

科目・事業年度			期首現在未納税額	当期発生税額	当期中の納付税額			期末現在未納税額
					充当金取崩しによる納付	仮払経理による納付	損金経理による納付	
法人税等	前　期　分		5,745,200円 [1]		5,745,200円	円	円	0円
	当期分	中　間		4,280,400円			4,280,400	0
		確　定		（記入不要）				（記入不要）
住民税	前　期　分		990,000　[1]		990,000			0
	当期分	中　間		730,000			730,000	0
		確　定		（記入不要）				（記入不要）
事業税	前　期　分			2,354,800 [1]	2,354,800			0
	当期中間分			1,450,000			1,450,000 [1]	0

納　税　充　当　金　の　計　算							
期　首　納　税　充　当　金		9,090,000円	取崩額	その他	損　金　算　入		円
繰入額	損金経理をした納税充当金	33,329,600 [1]			損　金　不　算　入		
	計	33,329,600			仮　払　税　金　消　却		
取崩額	法　人　税　等	6,735,200 [1]			計		9,090,000
	事　業　税	2,354,800 [1]	期　末　納　税　充　当　金				33,329,600

【配　点】　[1]×50カ所　　合計50点

1．同族会社等の判定

同族会社は上位3順位で、特定同族会社は上位1順位で判定する。

2．役員給与

実質基準の計算では、みなし役員（D経理部長）も計算に含める。

形式基準の計算では、みなし役員は含めず、また、C取締役営業部長（使用人兼務役員）の使用人分給与の適正額を控除する。

3．受取配当等

⑴　Z公社債投資信託の収益分配金は、益金不算入の対象とならない。

⑵　内国法人が外国子会社から受ける剰余金の配当等の額がある場合には、その剰余金の配当等の額の95％相当額は、各事業年度の益金の額に算入しない。

⑶　内国法人が上記⑵の適用を受ける場合にはその剰余金の配当等の額に係る外国源泉税等の額は、各事業年度の損金の額に算入しない。

また、当該外国源泉税については、外国税額控除の適用はない。

4．減価償却

⑴　資産の取得価額が10万円未満のときには、少額減価償却資産の損金算入による。

このとき、計算過程に「＜　100,000　∴　是認」のコメントを付すこと。

⑵　資産の取得価額が20万円未満のときには、一括償却資産の損金算入を適用する。

5．寄附金

資産を低額譲渡した場合には、（時価 － 対価）で支出寄附金の額を計算する。特定がある場合における寄附金の計算パターンは、次のようになる。

(1) 支出寄附金の額

① 指定等

② 特 定

③ その他

④ ① ＋ ② ＋ ③ ＝ ×××

(2) 損金算入限度額

① 特別損金算入限度額

$$\{(期末資本金の額 ＋ 資本準備金の額) \times \frac{12}{12} \times \frac{3.75}{1,000}$$

$$＋ (別表4仮計 ＋ 支出寄附金) \times \frac{6.25}{100}\} \times \frac{1}{2} ＝ \times\times\times$$

② 一般寄附金の損金算入限度額

$$\{(期末資本金の額 ＋ 資本準備金の額) \times \frac{12}{12} \times \frac{2.5}{1,000}$$

$$＋ (別表4仮計 ＋ 支出寄附金) \times \frac{2.5}{100}\} \times \frac{1}{4} ＝ \times\times\times$$

(3) 損金不算入額

$$支出寄附金 － 指定等 － \left.\begin{array}{l} 特定公益増進法人等 \\ 損金算入限度額(特別) \end{array}\right\} 少 － \begin{array}{l} 損金算入限 \\ 度額(一般) \end{array} ＝ \begin{array}{l} 寄附金の \\ 損金不算入額 \end{array}$$

6．交際費等

交際費等のうち接待飲食費については、その50％が損金算入される。

7．留保金課税

(1) 別表4に留保欄が与えられた場合の所得等の金額のうち留保した金額の計算は、別表4留保欄最終値に前期に係る配当を加算し、当期に係る配当を控除して求める。

(2) 留保控除額の所得基準額の割合は40％となる。

(3) 留保金課税の計算パターンは、次頁のようになる。

(1) 当期留保金額

① 所得等の金額のうち留保した金額

別表4留保欄合計 ＋ 前期末配当等の額 － 当期末配当等の額

（所得等の金額（別表4最終値 ＋ 課税外収入） － 社外流出）

② 法人税額 ⇦ 差引所得に対する法人税額（百円未満切捨前）

法人税額（基本税額） － 措置法の特別控除額 ＋ 使途秘匿金の特別税額 － 控除所得税額 － 控除外国税額

③ 地方法人税額

④ 住民税額

{法人税額（基本税額） ＋ 使途秘匿金の特別税額 － 控除外国税額} × 10.4%

⑤ ① － ② － ③ － ④

(2) 留保控除額

① 所得基準額

当期の所得等の金額 × 40%

② 定額基準額

$20,000,000円 \times \dfrac{12}{12}$

③ 積立金基準額（△の場合ゼロ）

期末資本金額 × 25% －（期首利益積立金額 － 前期末配当等の額）

④ ①～③の最多

(3) 課税留保金額

(1) － (2) （千円未満切捨）

(4) 税率区分

(3)のうち
- ① 年3,000万円以下の金額……………………10%
- ② 年3,000万円超年1億円以下の金額……15%
- ③ 年1億円超の金額 …………………………20%

(5) 特別税額

(4)① × 10% ＋ (4)② × 15% ＋ (4)③ × 20% ⇨ 差引法人税額の下で加算

問題 6

※　□で囲まれた数字は配点を示す。

1．所得金額の計算

区　　　　　分	金　　額
当　期　純　利　益	309,987,587円
加　　損金経理納税充当金	128,785,200 ②
損金経理法人税等	24,266,000 ②
損金経理住民税	3,022,000 ②
特別勘定積立金取崩	77,000,000 ②
圧　縮　積　立　金　積　立　超　過　額	17,800,000 ②
減　価　償　却　超　過　額	
（工　場　用　建　物）	13,000 ②
（機械装置（a））	143,960 ②
（器具備品（c））	123,400 ②
（器具備品（d））	233,400 ②
借　地　権　計　上　も　れ	1,875,000 ②
Ｃ社株式計上もれ	300,000 ②
算　前払利息計上もれ	1,575,000 ②
未収利息計上もれ	300,000 ②
小　　　計	255,436,960

区　　　　　分	金　　額
減　　納　税　充　当　金　支　出　事　業　税　等	8,625,600 ②
圧　縮　積　立　金　積　立	77,000,000 ②
特　別　勘　定　積　立　金　積　立　超　過　額　認　容	40,000 ②
算　　小　　　計	85,665,600
仮　　　　　計	479,758,947
控除対象外国法人税額	100,000 ②
合　　　　　計	479,858,947
差　　引　　計	479,858,947
総　　　　　計	479,858,947
所　得　金　額	479,858,947

―96―

（買換え）

(1) 差益割合

$$\frac{130,000,000 - \overset{※}{33,800,000}}{130,000,000} = 0.74 \quad \boxed{2}$$

※　$26,400,000 + 4,500,000 + 300,000 + 2,600,000 = 33,800,000$

(2) 圧縮基礎取得価額

$$130,000,000 > 120,000,000 \times \frac{500\,㎡ \times 5}{3,000\,㎡} = 100,000,000 \quad \boxed{2} \qquad \therefore\ 100,000,000$$

(3) 圧縮限度額

$$100,000,000 \times 0.74 \times 0.8 = 59,200,000$$

(4) 積立超過額

$$77,000,000 - 59,200,000 = 17,800,000$$

(5) 特別勘定積立金取崩

$$(77,700,000 - 740,000) - 77,000,000 = △40,000 < 740,000 \qquad \therefore\ 40,000\ （認容）$$

（減価償却）

(1) 工場用建物

① $350,000 \times 0.085 = 29,750$

② $350,000 - 5,800,000 \times 5\% = 60,000$

③ ① $<$ ② $\quad \therefore\ 29,750$

④ $42,750 - 29,750 = 13,000$

(2) 機械装置(a)

$$833,810 - 3,650,000 \times 0.189 = 143,960$$

(3) 器具備品(b)

$$80,000 < 100,000 \quad \therefore\ 是認 \quad \boxed{2}$$

(4) 器具備品(c)

① 償却限度額

イ　$8,300,000 \times 0.400 = 3,320,000$

ロ　$8,300,000 \times 0.10800 = 896,400$ $\boxed{2}$

ハ　イ $\geqq$ ロ $\quad \therefore\ 3,320,000$

ニ　$3,320,000 \times \dfrac{12}{12} = 3,320,000$

② 償却超過額

$$3,443,400 - 3,320,000 = 123,400$$

問題 6

解答

(5) 器具備品(d)

① 償却限度額

イ　$300,000 \times 0.333 = 99,900$

ロ　$300,000 \times 0.09911 = 29,733$

ハ　イ≧ロ　∴　99,900

ニ　$99,900 \times \dfrac{8}{12} = 66,600$

② 償却超過額

$300,000 - 66,600 = 233,400$

（更新料）

(1)　$7,500,000 + 3,000,000 - 7,500,000 \times \dfrac{3,000,000}{20,000,000} = 9,375,000$

(2)　7,500,000

(3)　$(1) - (2) = 1,875,000$

（控除対象外国法人税額）

$100,000 < 1,000,000 \times \underset{\boxed{2}}{35\%}$　∴　100,000

（有価証券）

$6,300,000 - 6,000,000 = 300,000$

（前払利息）

$1,800,000 - 1,800,000 \times \dfrac{15\,日}{120\,日} = 1,575,000$

（未収利息）

$2,400,000 \times \dfrac{15\,日}{120\,日} - 0 = 300,000$

2．法人税額の計算

区　　　分	金　　額	計　算　過　程　　（単位：円）
所　得　金　額	479,858,947円	（控除外国税）＜形式 ②＞
同上の内訳　年800万円以下の金額（千円未満切捨）①	8,000,000	(1)　100,000
同上の内訳　年800万円超過額（千円未満切捨）②	471,858,000	(2)　$110,671,056 \times \dfrac{\overset{※}{1,000,000}}{479,858,947} = 230,632$
税額　①×15%	1,200,000	※　900,000＋100,000＝1,000,000
税額　②×23.2%	109,471,056	＜479,858,947×90%　∴　1,000,000
法　人　税　額	110,671,056	(3)　(1)＜(2)　∴　100,000
法　人　税　額　計	110,671,056	
控　除　外　国　税　額	100,000②	
差引所得に対する法　人　税　額（百円未満切捨）	110,571,000	
中間申告分法人税額	22,000,000②	
差引確定法人税額	88,571,000	

【配　点】　②×25カ所　　合計50点

解答への道

1．買換え

(1) 特別勘定のうち、圧縮記帳の適用をした場合には圧縮限度額相当額を、さらに指定期間を経過する場合には特別勘定残額を取り崩さなければならない。

$$\left.\begin{array}{l} \text{要取崩額（損金算入額の範囲内）} \overset{※}{-} \text{会社取崩額} = \text{取崩超過額} \\ \text{積立超過額} \end{array}\right\} \text{少ない金額を認容}$$

※　繰入限度額と会社繰入額の少ない方

(2) 取り壊した建物の償却超過額300,000円は前期の別表4で減算されているので当期での調整はない。

2．借地権更新料

(1) 更新料は借地権の帳簿価額に加算する。

(2) 借地権の帳簿価額 × $\dfrac{\text{更新料の額}}{\text{更新時の借地権の価額}}$ は更新した日の属する事業年度に損金算入する。

3．減価償却

平成10年3月31日以前に取得した建物に係る法定償却方法は、旧定率法による。

4．有価証券

(1) 外国法人B社株式は持株割合が25%未満（10%）であるため、外国税額控除の対象となる。

(2) 内国法人C社株式は売買目的有価証券に該当するため、期末において時価法により評価を行う。当社は何ら処理を行っていないため、時価と帳簿価額との差額を別表4において調整する。

5．借入金利子

短期の前払費用の額はその支出事業年度において損金算入されるが、借入金を貸付金等に運用する場合の借入金に係る支払利子のように収益の計上と対応させる必要があるものについて、この特例の適用はできないことに留意する。

また、貸付金等に係る受取利子についても、利払期の到来する都度、その受取利子を収益計上している場合には、これが認められるが、借入金に係る支払利子との見合関係にある場合（90,000,000円を借入れ、直ちに貸付ける行為）には期間の経過に応じて益金算入する。

※　□で囲まれた数字は配点を示す。

損益計算書（原案）に対する当期純利益の額の修正　　　　　　（単位：円）

区　　　分	加減	調　整　額
損益計算書（原案）の「当期純利益」	＋	515,878,140
圧縮損	－	33,000,000 [2]
減価償却費	－	85,000 [2]
ゴルフクラブ入会金	＋	8,000,000 [2]
貸倒損失（B社売掛金）	－	1,500,000 [2]
一括貸倒引当金戻入	＋	1,200,000 [2]
会館建設負担金（繰延資産償却超過額）	＋	275,000 [2]
未　払　法　人　税　等	－	99,164,800 [2]
修正後の「当期純利益」		391,603,340

計　算　過　程	（単位：円）

（保険差益）

(1)　差引保険金等

　　$50,000,000 - 1,500,000 = 48,500,000$

(2)　保険差益金

　　$48,500,000 - (15,000,000 + 500,000) = 33,000,000$

(3)　圧縮限度額

　　$33,000,000 \times \dfrac{\overset{※}{48,500,000}}{48,500,000} = 33,000,000$

　　※　$50,000,000 > 48,500,000$　　∴　$48,500,000$

（減価償却）

　　$(50,000,000 - 33,000,000) \times 0.020 \times \dfrac{3}{12} = 85,000$

計　算　過　程　　　　　　　　　　　　　　　　　　（単位：円）

（交際費等）

(1)　$1,000,000＋2,000,000＋100,000＋1,500,000＋6,060,000＋1,140,000＋2,800,000＝14,600,000$

(2)　$14,600,000－1,500,000×50\%＝13,850,000$

（貸倒損失）

　$10,000,000×15\%＝1,500,000$

（貸倒引当金）

甲社は期末資本金が1億円を超えるため繰入れることができない。[1]

（繰延資産）

　$300,000－300,000×\dfrac{10月}{12月×10年^{※}}＝275,000$

　※　$30年×\dfrac{7}{10}＝21年＞10年　　\therefore　10年$

（控除対象外国法人税額）

(1)　$570,000ドル÷0.95×5\%＝30,000ドル$

(2)　$570,000ドル÷0.95×35\%＝210,000ドル$

(3)　$(1)＜(2)　　\therefore　30,000ドル$

(4)　$30,000ドル×135＝4,050,000$

1．所得金額の計算

区　　　分	金　　額		区　　　分	金　　額
当　期　純　利　益	391,603,340円		納　税　充　当　金 支　出　事　業　税　等	15,700,000②
加　　　　　　　算 損金経理納税充当金	99,164,800②	減	減価償却超過額認容	500,000②
損金経理法人税等	53,244,000②		商品評価損否認額認容	150,000②
損金経理住民税	17,363,300②		一括貸倒引当金認容	1,200,000②
前期未払交際費否認	400,000②			
交　際　費　等　の　損　金 不　　算　　入　　額	13,850,000②	算		
			小　　　　　計	17,550,000
			仮　　　　　計	558,075,440
			法人税額控除所得税額	1,148,625②
			控除対象外国法人税額	4,050,000②
			合　　　　　　計	563,274,065
			差　　引　　　計	563,274,065
			総　　　　　　計	563,274,065
小　　　　計	184,022,100		所　得　金　額	563,274,065

２．法人税額の計算

区　　　　　　　　　　　　　　分	税率	金　　　額
所　　得　　金　　額	％	563,274,065円
税額計算 　563,274,000　（千円未満切捨）	23.2②	130,679,568
法　　人　　税　　額		130,679,568
給与等の支給額が増加した場合の特別控除額		9,000,000②
課税留保金額に対する税額		10,477,800
法　人　税　額　計		132,157,368
控　除　所　得　税　額		1,148,625
控　除　外　国　税　額		4,050,000
差引所得に対する法人税額（百円未満切捨）		126,958,700
中　間　申　告　分　法　人　税　額		48,272,000①
差　引　確　定　法　人　税　額		78,686,700

計　算　過　程	（単位：円）
（給与等の支給額が増加した場合の法人税額の特別控除） 青色申告法人の場合の特別控除 (1)　判　定　＜形式 ①＞ $\dfrac{\overset{継続雇用}{442,400,000}-\overset{継続雇用比較}{325,600,000}}{325,600,000}=0.358\cdots\geqq 3\,\%$　　∴　適用あり	

(2) 税額控除限度額

① 0.358…≧4% ∴ 15%加算

② イ $\dfrac{\overset{\text{当期教育}}{36,000,000}-\overset{\text{比較教育}}{27,000,000}}{27,000,000}=0.333…≧10\%$ ☐1

ロ $\dfrac{\overset{\text{当期教育}}{36,000,000}}{\underset{\text{雇用者給与等}}{593,500,000}}=0.060…≧0.05\%$ ∴ 5%加算

③ $(593,500,000-563,500,000)\times30\%=9,000,000$

(3) 税額基準額

$130,679,568\times20\%=26,135,913$ ☐1

(4) 特別控除額

(2)<(3) ∴ 9,000,000

（控除外国税額）

(1) 控除対象外国法人税額　4,050,000

(2) 控除限度額 ＜形式 ☐1＞

$(130,679,568-9,000,000)\times\dfrac{\overset{※}{81,000,000}}{563,274,065}=17,497,778$

※ $76,950,000+4,050,000=81,000,000<563,274,065\times90\%$ ∴ 81,000,000

(3) (1)<(2) ∴ 4,050,000

（留保金課税）

(1) 当期留保金額

① 所得等の金額のうち留保した金額 ＜形式 ☐1＞

$563,274,065-(96,880,000+13,850,000+1,148,625+4,050,000)=447,345,440$

② 法人税額 ＜形式 ☐1＞

$130,679,568-9,000,000-1,148,625-4,050,000=116,480,943$

③ 地方法人税額

12,532,900

④ 住民税額 ＜形式 ☐1＞

$(130,679,568-4,050,000)\times10.4\%=13,169,475$

⑤ ①−②−③−④=305,162,122

計　算　過　程

（単位：円）

(2)　留保控除額

 ①　所得基準額 ＜形式 [1]＞

   $563,274,065 \times 40\% = 225,309,626$

 ②　定額基準額

   $20,000,000 \times \dfrac{12}{12} = 20,000,000$

 ③　積立金基準額

   $150,000,000 \times 25\% - 126,000,000 < 0$　　∴　0

 ④　①～③最多　　　∴　225,309,626

(3)　課税留保金額

  (1)－(2)＝79,852,000（千円未満切捨）

(4)　税率区分

  $30,000,000 \times \dfrac{12}{12} < 79,852,000 \leqq 100,000,000 \times \dfrac{12}{12}$

  ∴　年3,000万円以下は10%

   年3,000万円超は15%

(5)　特別税額

  $30,000,000 \times 10\% + (79,852,000 - 30,000,000) \times 15\% = 10,477,800$

【配　点】　[1]×10カ所　[2]×20カ所　　合計50点

1．問題形式

決算修正型の問題である。決算修正型とは、問題の資料が決算整理前残高試算表の段階であり、自分で決算に係る修正を行ったうえで当期純利益を確定させ、申告書を作成する形式である。

このような形式の問題の場合は、基本的に決算で修正できるものは決算で修正を行い、別表四における申告調整でしか調整できないもの（基本的に法人税関連及び社外流出項目並びに前期以前の否認額の認容）は別表四で調整を行う。

本問においては、次のとおり決算と申告に分けて調整を行うこととなる。

【決算において修正するもの】

圧縮損の計上、減価償却費の計上、ゴルフクラブ入会金の資産への振り替え、貸倒損失の計上、貸倒引当金の戻入、繰延資産の修正

【申告調整を行うもの】

未払法人税等関連、中間分の法人税及び住民税、前期以前の否認額の認容（未払交際費、建物減価償却超過額、商品評価損、貸倒引当金）、交際費等の損金不算入、所得税額控除、外国税額控除

2．保険差益に係る圧縮記帳

(1) 代替資産とは滅失した資産と同種のものである。

(2) 滅失した資産に係る既往の否認額は所得計算上認容する。

3．ゴルフクラブの入会金等

入会金は資産計上するため、決算において修正する。また、年会費及び業務に係るプレー代は交際費等に該当する。

4．貸倒引当金

本問では中小法人に該当しないため、貸倒引当金の繰入れをすることはできない。

5．繰延資産

当期の償却月数は、建設着手日と支出日の遅い方から計算する。

6．給与等の支給額が増加した場合の法人税額の特別控除

甲社は中小企業者等以外に該当し、特定法人に該当するため、青色申告法人の場合の特別控除のうち、次の計算式によることとなる。

(1) 判　定

$$\frac{継続雇用者給与等支給額 － 継続雇用者比較給与等支給額}{継続雇用者比較給与等支給額} \geq 3\%$$

$$\therefore\ 適用あり$$

(2) 特別控除額

　① 特定税額控除限度額　　控除対象雇用者給与等支給増加額×10%（注1～4）

　② 税額基準額　　　　　　調整前法人税額×20%

　③ 特別控除額　　　　　　①と②の少

（注1）次の要件を満たす場合には、15%を加算

　　　(1)の割合≧4%

（注2）次の要件の全てを満たす場合には、5%を加算

　① $\dfrac{教育訓練費 － 比較教育訓練費}{比較教育訓練費} \geq 10\%$

　② $\dfrac{教育訓練費}{雇用者給与等支給額} \geq 0.05\%$

（注3）次の要件のいずれかに該当する場合には、5%を加算

　① その事業年度終了の時において次世代育成支援対策推進法に規定する特例認定一般事業主に該当すること。

　② その事業年度において女性の職業生活における活躍の推進に関する法律の認定を受けたこと。

　③ その事業年度終了の時において女性の職業生活における活躍の推進に関する法律に規定する特例認定一般事業主に該当すること。

（注4）（注1）から（注3）は重複適用可。

【用語の意義】

特定法人

　常時使用する従業員の数が2,000人以下の法人をいう。なお、その法人及びその法人による支配関係がある他の法人の常時使用する従業員の数の合計数が10,000人を超えるものを除く。

7．留保金課税

　甲社は特定同族会社に該当するため、留保金課税の計算を行う。

　なお、計算パターンは次のとおりである。

(1) 当期留保金額

　① 所得等の金額のうち留保した金額

　　所得等の金額（所得金額＋課税外収入）－社外流出

（別表四留保欄・最終値＋前期末配当等の額－当期末配当等の額）

② 法人税額　⇦　差引所得に対する法人税額（百円未満切捨前）

法人税額（基本税額）－措置法の特別控除額＋使途秘匿金の特別税額－控除所得税額－控除外国税額

③ 地方法人税額

④ 住民税額

{法人税額（基本税額）＋使途秘匿金の特別税額－控除外国税額}　×10.4％

⑤ ①－②－③－④

(2) 留保控除額

① 所得基準額

当期の所得等の金額×40％

② 定額基準額

$20,000,000円×\dfrac{12}{12}$

③ 積立金基準額（△の場合ゼロ）

期末資本金額×25％－（期首利益積立金額－前期末配当等の額）

④ ①～③の最多

(3) 課税留保金額

(1)－(2)　（千円未満切捨）

(4) 税率区分

(3)のうち
- ① 年3,000万円以下の金額……………………10％
- ② 年3,000万円超年1億円以下の金額……15％
- ③ 年1億円超の金額　…………………………20％

(5) 特別税額

(4)①×10％＋(4)②×15％＋(4)③×20％⇨差引法人税額の下で加算

解　答

※　□で囲まれた数字は配点を示す。

損益計算書（原案）に対する当期純利益の額の修正　　　　　　　（単位：円）

区　　　　分	加減	調　整　額
損益計算書（原案）の「当期純利益」	＋	89,200,000
為替差損計上もれ（外国通貨）	－	100,000 ②
Ａ社株式計上もれ	＋	200,000 ②
仮払寄附金	－	1,500,000 ②
事務所用建物Ｅ上棟式	＋	395,000 ②
事務所用建物Ｅ減価償却費	－	1,144,000 ②
器具備品Ｆ減価償却費	－	341,050 ②
営業権減価償却費	－	128,000 ②
未払寄附金	＋	500,000 ②
一括貸倒引当金繰入	－	1,391,904 ②
繰延資産（償却超過分）	＋	1,150,000 ②
修正後の「当期純利益」		86,840,046

【計算過程】(1)　　　　　　　（単位：円）

[外貨建資産等]（外国通貨）

外国通貨は期末時換算法により換算を行う。

50,000ドル×155－7,850,000＝△100,000

[有価証券]（Ａ社株式）

Ａ社株式は売買目的有価証券に該当するため、時価法による期末換算を行う。

期末時価　　期末簿価
9,200,000－9,000,000＝200,000

【計算過程】(2)　　　　　　　（単位：円）

[受取配当等の益金不算入額]

1　配当等の額（非支配）
　　　　　　　　※
　372,000－59,520＝312,480　①

　　※　短期保有株式等

　イ　2,000株×$\dfrac{2,000株}{3,000株+2,000株}$×$\dfrac{5,000株}{5,000株}$

　　　＝800株

　ロ　372,000×$\dfrac{800株}{5,000株}$＝59,520

2　益金不算入額

　312,480×20％＝62,496

【計算過程】(3)　　　　　　（単位：円）

[法人税額控除所得税額]

(1) 株式出資（所有期間より簡便法有利）

$$56,971 \times \frac{3,000株+(5,000株-3,000株)\times\frac{1}{2}}{5,000株}(0.800)$$

$$=45,576$$

(2) 受益権（所有期間より個別法有利）

$$56,971 \times \frac{7}{12}(0.584)=33,271$$

(3) その他

30,630

(4) 合計　　109,477

[外国子会社配当]

　甲社はＣ社の発行済株式総数の25％以上を配当等の支払義務が確定する日以前６月以上保有しているためＣ社は外国子会社に該当する。

$$2,700,000-2,700,000\times5\%=2,565,000$$

【計算過程】(4)　　　　　　（単位：円）

[減価償却]

(1) 事務所用建物Ｅ

　上棟式の費用は取得価額に算入すべきものである。また、不動産取得税は取得価額に算入しないことができる。

$$(103,605,000+395,000)\times0.022\times\frac{6}{12}$$

$$=1,144,000$$

(2) 器具備品Ｆ

　① 償却限度額

イ $(917,050+\overset{繰越償却超過}{42,950})\times0.400=384,000$

ロ　$1,600,000\times0.10800=172,800$ □1

ハ　イ≧ロ　∴　384,000 □1

　② 当期償却費計上額

$$384,000-42,950=341,050$$

(3) 営業権

$$640,000\times0.200\times\frac{12}{12}=128,000$$

[貸倒引当金]

(1)　貸倒実績率による繰入限度額

①　一括評価金銭債権

143,200,000

②　貸倒実績率

$$\frac{(1,074,000+1,178,000+925,000)\times\dfrac{12}{36}}{※332,200,000\div3}$$

=0.00956…→0.0096

※　124,400,000+117,500,000+90,300,000
=332,200,000

③　①×②=1,374,720　1

(2)　法定繰入率による繰入限度額

①　一括評価金銭債権

143,200,000

②　実質的に債権とみられないもの

①×0.028=4,009,600

③　(①−②)×$\dfrac{10}{1,000}$=1,391,904

(3)　繰入限度額

(1)<(2)　　∴　1,391,904

[交際費]

(1)　支出交際費等

300,000+10,400,000=10,700,000

(2)　損金不算入額

10,700,000−8,000,000※=2,700,000

※　300,000×50%<8,000,000×$\dfrac{12}{12}$

∴　8,000,000

[寄附金]

(1)　支出寄附金＜区分　1＞

①　指定等

公立高校
2,000,000

②　その他

商工会議所
1,500,000

③　①+②=3,500,000

(2)　損金算入限度額＜形式　1＞

$$\Big[(100,000,000+50,000,000)\times\frac{12}{12}\times\frac{2.5}{1,000}$$

$$+(132,014,800+3,500,000)\times\frac{2.5}{100}\Big]\times\frac{1}{4}$$

=940,717

(3)　損金不算入額

3,500,000−2,000,000−940,717=559,283

[その他]（道路舗装負担金）

(1)　償却期間

15年×$\dfrac{7}{10}$=10.5年⇒10年　1

(2)　償却超過額

1,200,000−1,200,000×$\dfrac{5}{10\times12}$=1,150,000

法人税申告書別表四（所得金額の計算）

区　　　　分	金　　額		区　　　　分	金　　額
当期純利益又は当期欠損の額	86,840,046円		器具備品Ｆ減価償却超過額認容	42,950②
加　　　　　　　　　　　　　算	Ａ社株式過大計上認容	400,000②	減　　　　　　　　算	納税充当金支出事業税等	5,000,000①
	損金経理納税充当金	32,140,000①		一括貸倒引当金繰入超過額認容	594,800①
	損金経理附帯税等	50,000①		受取配当等の益金不算入額	62,496①
	前期仮払交際費否認	600,000②		外国子会社配当等の益金不算入額	2,565,000①
	交際費等の損金不算入額	2,700,000②			
	外国源泉税等の損金不算入額	270,000②			
	損金経理法人税等	14,400,000①			
	損金経理住民税	2,880,000①			
				小　　　計	8,265,246
			仮　　　　計	132,014,800
			寄附金の損金不算入額	559,283
			法人税額控除所得税額	109,477②
			合　　　計	132,683,560
			差　引　計	132,683,560
			総　　　計	132,683,560
	小　　　計	53,440,000	所　得　金　額	132,683,560

問題8

解答

法人税申告書別表一（法人税額の計算）　　　　　　　　　　　　　　（単位：円）

区　　分	金　　額
所　得　金　額	132,683,560円
法　人　税　額	30,126,456
特　別　控　除　額	0
留保金　課税留保金額	0
留保金　同上に対する税額	0
法　人　税　額　計	30,126,456
控　除　税　額	109,477 1
差引所得に対する法人税額	30,016,900
中間申告分の法人税額	13,055,400
差引確定法人税額	16,961,500 <記入 1>

【法人税額の計算】

(1)　**年800万円相当額**

8,000,000（千円未満切捨）×15%　←

　＝1,200,000

(2)　**年800万円超過額**　　　　　　　　　1

132,683,560－8,000,000＝124,683,560

124,683,000（千円未満切捨）×23.2%　←

　＝28,926,456

(3)　(1)＋(2)＝30,126,456

【配　点】　1×18カ所　2×16カ所　　合計50点

1．問題形式について

問題7と同じく、決算修正型の問題である。

本問においても、決算で修正できるものは決算において修正し、申告調整でしか行えない調整を別表四において調整する。

2．外貨建資産等に関する事項

外国通貨は選定している換算方法に関わらず、常に期末時換算法により換算する。したがって、為替差損益を決算において修正する。

3．有価証券等に関する事項

(1) A社株式は売買目的有価証券に該当するため、期末において時価評価を行う。評価損益については決算において修正する。

(2) A社株式は、持株割合より、非支配目的株式等に該当する。

また、この配当の基準日は令和7年9月30日であるが、基準日以前1月以内に取得し、かつ、基準日後2月以内に譲渡している株式があるため、短期保有株式等に係る配当等を計算する。

(3) 甲社はC社株式を支払義務確定日以前6月以上25％以上所有しているため、C社は甲社の外国子会社となり、外国子会社配当等の益金不算入及び外国源泉税等の損金不算入の適用がある。

4．減価償却に関する事項

(1) 事務所用建物Eは取得に際し上棟式及び不動産取得税を支出して費用計上しているが、このうち上棟式は取得価額に算入すべき費用であるため、決算修正においてまず建物勘定に振り替えた後減価償却計算を行う。

(2) 問題の指示により、過年度の償却超過額は当期に認容することとなる。したがって、器具備品Fに係る前期の償却超過額（別表五（一）Iから読み取る）は当期に認容する。そのため、償却限度額からその償却超過額の分だけマイナスした数値を当期の決算において減価償却費として計上することにより、当期に償却不足額を生じさせることとなり、前期の償却超過額を認容する。

5．貸倒引当金に関する事項

(1) 一括評価金銭債権の金額は、貸借対照表の売掛金の金額を使用する。

(2) 「13 貸倒引当金戻入益について」より前期繰入額は当期に全額戻入れしているため、前期分については繰入超過額の認容を行う。

6．寄附金に関する事項

(1)　仮払金に計上されている商工会議所に対する寄附金は、決算修正においていったん費用に計上したのち、当期の寄附金（その他）に含めることに注意する。

(2)　道路舗装負担金は繰延資産となる。なお、一般の通行の用に供されない道路の場合、償却期間は耐用年数の10分の7となる。

※　□で囲まれた数字は配点を示す。

問1　租税公課等に関する事項

【別表四　所得の金額の計算に関する明細書】　　　　　　　　　　　　（単位：円）

区　分		総　額	留　保	社外流出
加算	損 金 経 理 法 人 税 等	29,600,000	29,600,000 ①	
	損 金 経 理 住 民 税	5,650,000	5,650,000 ①	
	損 金 経 理 納 税 充 当 金	42,900,000	42,900,000 ①	
	損 金 経 理 附 帯 税 等	350,000		350,000 ①
減算	納 税 充 当 金 支 出 事 業 税 等	7,440,000	7,440,000 ①	

【別表五（一）　利益積立金額及び資本金等の額の計算に関する明細書】　　　　（単位：円）

I　利益積立金額の計算に関する明細書					
区　分		期 首 現 在 利 益 積 立 金 額	当 期 の 増 減		差引翌期首現在 利 益 積 立 金 額
			減	増	
納 税 充 当 金		35,920,000 ①	35,920,000	42,900,000	42,900,000 ①
未納法人税等	未 納 法 人 税 等	△ 23,900,000 ①	△ 53,500,000 ①	中間 △ 29,600,000	
				確定	
	未 納 住 民 税	△ 4,580,000 ①	△ 10,230,000	中間 △ 5,650,000	
				確定	
差 引 合 計 額					

問題9

解答

問2　貸倒引当金に関する事項

【計算過程】　　　　　　　　　　　　　　　　　　　　　　　　　　　（単位：円）

1．個別貸倒引当金

A社売掛金　A社受取手形　A社買掛金
$(4,000,000 + 6,000,000 - 500,000) \times 50\% = 4,750,000$

2．一括貸倒引当金

(1)　一括評価金銭債権

売掛金　　　A社売掛金　　受取手形　A社受取手形　　割引手形　　貸付金　　未収利息
$(274,800,000 - 4,000,000) + (57,300,000 - 6,000,000) + 4,000,000 + 30,000,000 + 1,500,000$

役務提供
$+ 2,500,000 = 360,100,000$ ①

(2)　貸倒実績率

$$\frac{\{5,940,000 + 5,850,000 + (9,350,000 - 3,500,000)\} \times \frac{12}{36}}{(388,000,000 + 401,200,000 + 378,800,000) \div 3} = 0.015102\cdots \rightarrow 0.0152 \text{①}$$

（前渡金貸倒）

(3)　繰入限度額

$(1) \times (2) = 5,473,520$

【決算修正仕訳】　　　　　　　　　　　　　　　　　　　　　　　　（単位：円）

借　　方		貸　　方	
項　　目	金　　額	項　　目	金　　額
未収入金（未収利息）	1,500,000 ②	受取利息	1,500,000
（一括）貸倒引当金	6,750,000 ②	（一括）貸倒引当金戻入益	6,750,000
（個別）貸倒引当金繰入額	4,750,000 ②	（個別）貸倒引当金	4,750,000
（一括）貸倒引当金繰入額	5,473,520 ②	（一括）貸倒引当金	5,473,520

【別表四　所得の金額の計算に関する明細書】　　　　　　　　　　　（単位：円）

	区　　分	総　　額	留　　保	社外流出
加算				
減算	一括貸倒引当金繰入超過額認容	212,560	212,560 ①	

— 118 —

【別表五(一)　利益積立金額及び資本金等の額の計算に関する明細書】　　　　　（単位：円）

		I　利益積立金額の計算に関する明細書		
区　　分	期　首　現　在 利 益 積 立 金 額	当　期　の　増　減		差引翌期首現在 利 益 積 立 金 額
		減	増	
一括貸倒引当金	212,560 ①	212,560		0

問3　国庫補助金等に関する事項

【計算過程】　　　　　　　　　　　　　　　　　　　　（単位：円）

国庫補助金　取得価額
5,000,000 ＜ 16,000,000　　∴　5,000,000

【決算修正仕訳】　　　　　　　　　　　　　　　　　（単位：円）

借　　方		貸　　方	
項　　目	金　　額	項　　目	金　　額
繰越利益剰余金	5,000,000　②	圧縮積立金	5,000,000

【別表四　所得の金額の計算に関する明細書】　　　　　　　（単位：円）

	区　　分	総　額	留　保	社外流出
加算				
減算	圧縮積立金積立	5,000,000	5,000,000 ①	

【別表五(一)　利益積立金額及び資本金等の額の計算に関する明細書】　　　　　（単位：円）

		I　利益積立金額の計算に関する明細書		
区　　分	期　首　現　在 利 益 積 立 金 額	当　期　の　増　減		差引翌期首現在 利 益 積 立 金 額
		減	増	
圧縮積立金			5,000,000	5,000,000
圧縮積立金積立			△5,000,000	△5,000,000 ②

問4　減価償却資産等に関する事項

(1)　税務上の損金算入限度額　　　　　　　　　　　　　　　　　　　　　（単位：円）

1．建物E

(1)　資本的支出を新たな資産の取得として計上する方法

　①　本体

　　　$80,000,000 \times 0.9 \times 0.046 = 3,312,000$ ①

　②　資本的支出

　　　$3,000,000 \times 0.046 \times \dfrac{12}{12} = 138,000$

　③　①＋②＝3,450,000

(2)　資本的支出を本体の取得価額に加算する方法

　　$80,000,000 \times 0.9 \times 0.046 + 3,000,000 \times 0.9 \times 0.046 \times \dfrac{12}{12} = 3,436,200$ ①

(3)　(1)＞(2)　　∴　新たな資産の取得

(4)　計上額（本体）

　　$3,312,000 - 504,000 = 2,808,000$

2．構築物D

(1)　$(16,000,000 - 5,000,000) \times 0.100 = 1,100,000$ ①

(2)　$1,100,000 \times \dfrac{6}{12} = 550,000$

3．器具備品F

(1)　$3,000,000 \div 160,000 = 18.75個 \Rightarrow 18個$

(2)　①　$160,000 < 300,000$

　②　$160,000 \times 18個 = 2,880,000 \leqq 3,000,000 \times \dfrac{12}{12}$　　∴　2,880,000 ①

(3)　残り12個（一括償却）

　　$(160,000 \times 12個) \times \dfrac{12}{36} = 640,000$

(4)　申告調整額

　　$(160,000 \times 12個) - 640,000 = 1,280,000$

【決算修正仕訳】 （単位：円）

借　　方		貸　　方	
項　　目	金　　額	項　　目	金　　額
減価償却費	2,808,000 ②	建物E本体	2,808,000
減価償却費	138,000 ②	建物E資本的支出	138,000
減価償却費	550,000 ②	構築物D	550,000

【別表四　所得の金額の計算に関する明細書】 （単位：円）

	区　　分	総　額	留　保	社外流出
加算	一括償却資産損金算入限度超過額	1,280,000	1,280,000 ①	
減算	建物E本体減価償却超過額認容	504,000	504,000 ①	

【別表五(一)　利益積立金額及び資本金等の額の計算に関する明細書】 （単位：円）

I　利益積立金額の計算に関する明細書				
区　　分	期首現在利益積立金額	当期の増減		差引翌期首現在利益積立金額
		減	増	
建物E	504,000 ①	504,000		0
一括償却資産			1,280,000	1,280,000 ①

問5　その他の経費に関する事項

【交際費等の損金不算入に係る計算過程】 （単位：円）

※　当期の支出交際費等に該当しないものについては、その理由を述べること。

(1)　支出交際費等

株主懇親会　　その他
$1,800,000 + 19,400,000 = 21,200,000$

※1　得意先役員をレストランで接待した際の飲食費は1名当たり10,000円以下の飲食費に該当するため、交際費等に該当しない。①

※2　前期に接待し仮払金として処理していた金額は前期の交際費等であり、当期の交際費等に該当しない。

(2)　損金不算入額

$21,200,000 - \overset{※}{8,000,000} = 13,200,000$

※　$(4,000,000 + 1,800,000) \times 50\% < 8,000,000 \times \dfrac{12}{12}$　∴　$8,000,000$　①

問題9

解答

【決算修正仕訳】 （単位：円）

借　　　　方		貸　　　　方	
項　　　目	金　　　額	項　　　目	金　　　額
積立保険料	1,600,000 ②	支払保険料	1,600,000

【別表四　所得の金額の計算に関する明細書】 （単位：円）

区　　　分		総　　額	留　　保	社外流出
加算	前期仮払交際費否認	400,000	400,000②	
	交際費等の損金不算入額	13,200,000		13,200,000②
減算				

【別表五(一)　利益積立金額及び資本金等の額の計算に関する明細書】 （単位：円）

Ⅰ　利益積立金額の計算に関する明細書				
区　　　分	期首現在利益積立金額	当期の増減		差引翌期首現在利益積立金額
		減	増	
仮払交際費	△400,000①	△400,000		0

【配　点】　①×26カ所　②×12カ所　　合計50点

1．問題形式

個別問題形式の場合、1つの論点に関し決算（修正）仕訳を行い、それに基づいて別表四及び別表五（一）Ⅰの記載を行うパターンが多いが、これは問題7と問題8のような決算修正型の総合問題の流れとまったく同一である。個別問題だからといって特別な知識は必要としないため、解答要求事項をしっかり読んで、適切な仕訳及び別表調整を行うこと。

2．法人税、住民税及び事業税

(1) 中間申告分の法人税等及び住民税については加算・留保の申告調整を行う。

(2) 期末に繰り入れた納税充当金については、加算・留保の申告調整を行う。

(3) 前期末に繰り入れた納税充当金のうち、事業税の納付に充てた金額については、減算・留保の申告調整を行う。

3．貸倒引当金に関する事項

(1) A社は民事再生法の規定による再生手続開始の申立てを行っているため、A社に対する金銭債権については、形式基準による個別貸倒引当金を設定する。売掛金と受取手形に資料が分かれているため、注意すること。また、個別貸倒引当金では支払手形を取立等見込額に含めずに計算する。

(2) 売掛金の回収のために取得した手形の割引高及び役務提供の対価としての未収金は、一括評価金銭債権に含まれる。

(3) 当期に対応する貸付金に係る未収利息については、何ら処理をしていないため、決算修正仕訳において未収利息の計上を行い、かつ、一括評価金銭債権に含めることとなる。

(4) 前期に繰り入れた一括貸倒引当金に係る繰入超過額については当期の別表四において減算・留保の申告調整を行う。また、この金額は当期の別表五（一）Ⅰの①欄に記載したうえで②欄で消却することとなる。

4．国庫補助金等

(1) 圧縮限度額は、国庫補助金等の額のうち返還不要な額と、取得した資産の取得価額のいずれか少ない方である。

(2) 問題文の指示により、確定した決算において積立金経理により圧縮積立金を積み立てることとなる。

この場合には、まず決算修正仕訳において圧縮積立金を積み立て（相手勘定は繰越利益剰余金となることに注意すること。）、さらに別表四において減算・留保の調整を行う。また、別表五（一）Ⅰにおいては会計上計上した圧縮積立金と別表四において減算・留保した圧縮積立金積立の2つを記載する。

5．減価償却資産等

⑴　建物Eは平成18年4月に取得しているため、旧定額法により償却する。また、当期に資本的支出を行っており、この資本的支出は原則的には新たな資産の取得とするため本体とは別個に減価償却計算を行うが、特例として資本的支出を本体の取得価額に加算することもできる。

　　本問の場合には両者の計算を行い、償却限度額の大きい方を採用することとなる。

　　また、建物E本体には繰越償却超過額がある。問題文の指示により、翌期以降に繰り越さないようにするため、当期の会計上の償却費を償却限度額よりもその繰越償却超過額の分だけ少なくして償却不足額を発生させ、認容させる。

⑵　構築物Dは圧縮記帳の適用を受けているため、圧縮後の取得価額をもって減価償却計算を行う。なお、平成28年4月1日以後取得の構築物の償却方法は定額法となる。

⑶　当社は期末資本金額2千万円の非同族会社であり、株主はすべて個人であることから、中小企業者等に該当する。また、従業員数は常時500人以下である。したがって、取得価額30万円未満の器具備品Fは中小企業者等の少額減価償却資産の損金算入の特例を受けることができる。ただし、年300万円の限度があるため、それを超える部分については普通償却又は一括償却による。

　　本問においては、取得価額が20万円未満（16万円）であるため、一括償却の適用をすることとなる。なお、問題文の指示により、決算修正を行わず別表四及び別表五(一)Ⅰにおいて調整すること。

6．その他の費用に関する事項

⑴　社外の者との一人当たり10,000円以下の飲食費は交際費等に該当しない。

⑵　前期に接待を行い、仮払金として処理している交際費は、前期に「仮払交際費認定損」として減算・留保されている。したがって、当期の別表四において加算・留保を行う。また、別表五(一)Ⅰへの記載を忘れないこと。

⑶　当社は資本金額1億円以下の中小法人に該当するため、接待飲食費の50％相当額でなく、年800万円の定額控除限度額を使い、交際費の損金算入をすることができる。

⑷　生存保険金の受取人が当社、死亡保険金の受取人が遺族である養老保険は、支払保険料の2分の1を資産計上しなければならない。

※ □で囲まれた数字は配点を示す。

問1 (単位：円)

計算過程及び検討

(1) 建物

$$400,000-50,000,000\times0.046\times\frac{2}{12}=16,667$$

(2) 機械装置

① 判 定

$$\frac{35}{1,000}\times3.2時間=0.112\to\underline{0.12}\geqq10\% \quad\therefore\quad \underline{適用あり}\;\boxed{1}$$

② 償却限度額

イ (14,875,000＋125,000)×0.250＝3,750,000

ロ (14,875,000＋125,000)×0.07909＝1,186,350

ハ イ≧ロ ∴ $3,750,000\times\dfrac{10}{12}\times(1+0.12)=3,500,000$

③ 償却超過額

(3,500,000＋125,000)－3,500,000＝125,000

(3) 器具備品B

① 償却限度額

イ (1,200,000＋117,784)×0.167＝220,069

ロ 4,000,000×0.03217＝128,680

ハ イ≧ロ ∴ 220,069

② 償却超過額

220,000－220,069＝△69＜117,784 ∴ 69（認容）

(4) 器具備品C

① 償却限度額

イ 2,000,000×0.133＝266,000

ロ 3,900,000×0.04565＝178,035

ハ イ≧ロ ∴ 266,000

② 償却超過額

240,000－266,000＝△26,000→処理なし $\boxed{2}$

(5) ソフトウエア

$$400,000-2,000,000\times0.200\times\frac{8}{12}=133,334$$

【別表四　所得の金額の計算に関する明細書】　　　　　　　　　　　　　　（単位：円）

区　　分		総　　額	留　　保	社　外　流　出
加算	建物減価償却超過額	16,667	16,667　②	
	機械装置減価償却超過額	125,000	125,000	
	ソフトウエア減価償却超過額	133,334	133,334　②	
減算	器具備品B減価償却超過額認容	69	69	

【別表五(一)　Ⅰ　利益積立金額の計算に関する明細書】　　　　　　　　（単位：円）

	Ⅰ　利益積立金額の計算に関する明細書			
区　　分	期　首　現　在 利　益　積　立　金　額	当　期　の　増　減		差引翌期首現在 利　益　積　立　金　額
		減	増	
器具備品B	117,784	69		117,715　②
建物			16,667	16,667
機械装置			125,000	125,000　②
ソフトウエア			133,334	133,334

問2　　　　　　　　　　　　　　　　　　　　　　　　　　　　　　　　（単位：円）

税務上調整すべき金額	計算過程及び検討
建物E減価償却超過額認容 250,000（減・留）☑ 建物G減価償却超過額 1,553,147（加・留）☑	(1)　土　地 　①　判　定 　　　　　　時価差額　　　　　　　　　　多い方の時価 　　28,000,000−24,000,000＝4,000,000≦28,000,000×20% 　　　　　　　　　　　　　　　　　　　∴　適用あり 　②　経費按分 　　　770,000×$\dfrac{28,000,000}{35,000,000}$＝616,000 　③　圧縮限度額 　　　24,000,000−(13,384,000＋616,000) 　　　　　　　　取得土地時価 　　　×$\dfrac{24,000,000}{24,000,000＋4,000,000}$＝12,000,000 　④　圧縮超過額 　　　取得土地時価　譲渡土地簿価 　　　(24,000,000−13,384,000)−12,000,000 　　＝△1,384,000→処理なし☑ (2)　建　物 　①　判　定 　　　　　　時価差額　　　　　　　　　　多い方の時価 　　8,000,000−7,000,000＝1,000,000≦8,000,000×20% 　　　　　　　　　　　　　　　　　　　∴　適用あり 　②　経費按分 　　　770,000×$\dfrac{7,000,000}{35,000,000}$＝154,000 　③　圧縮限度額 　　　8,000,000−(5,000,000＋250,000＋154,000＋1,000,000) 　　＝1,596,000 　④　圧縮超過額 　　　取得建物時価　譲渡建物簿価 　　　(8,000,000−5,000,000)−1,596,000＝1,404,000 　　　　　　　　　　　　　　　　→償却計算へ 　⑤　償却超過額 　　　(448,000＋1,404,000)−(8,000,000−1,596,000)×0.056 　　　×$\dfrac{10}{12}$＝1,553,147

問題10
解答

−127−

問3 (単位：円)

税務上調整すべき金額	計算過程及び検討
役員給与の損金不算入額 （第34条第1項） 1,120,000（加・流）② （第34条第2項） 2,800,000（加・流）② **その他の損金不算入額** 500,000（加・流）②	**1 同族会社の判定** （1） Lグループ 93,000株 （2） Aグループ 60,000株＋15,000株＝75,000株 （3） Hグループ 60,000株＋12,000株＝72,000株 （4） $\dfrac{(1)＋(2)＋(3)}{300,000 株}$＝80％＞50％ ∴ 同族会社① **2 みなし役員及び使用人兼務役員の判定** （1） みなし役員の判定

1 同族会社の判定

（1） Lグループ 93,000株

（2） Aグループ 60,000株＋15,000株＝75,000株

（3） Hグループ 60,000株＋12,000株＝72,000株

（4） $\dfrac{(1)＋(2)＋(3)}{300,000 株}$＝80％＞50％ ∴ 同族会社①

2 みなし役員及び使用人兼務役員の判定

（1） みなし役員の判定

	50%超	10%超	5%超	
K	×	──	──	∴ 使用人（特殊関係使用人）①
L	使用人以外の者で経営に従事			∴ みなし役員

（2） 使用人兼務役員の判定

	50%超	10%超	5%超	
J	○	○	×	常時使用人職務に従事 ∴使用人兼務役員①

3 法人税法第34条第1項による損金不算入額（計算式のみを示せばよい）

1,000,000＋400,000×30％＝1,120,000

4 法人税法第34条第2項による損金不算入額（計算式のみを示せばよい）

（1） 実質基準

A 16,500,000－15,000,000＝1,500,000

H 12,000,000－14,000,000＝△2,000,000→0

I 9,000,000－9,000,000＝0

J （6,600,000＋900,000）－7,200,000＝300,000

L 6,000,000－5,000,000＝1,000,000

合計 2,800,000

（2） 形式基準

（16,500,000＋12,000,000＋9,000,000＋6,600,000

－2,100,000）－45,000,000＝△3,000,000→0

（3） (1)＞(2) ∴ 2,800,000

5 法人税法第34条以外の損金不算入額（計算式のみを示せばよい）

（4,200,000＋800,000）－4,500,000＝500,000

計算過程及び検討

1　交際費等の損金不算入額

(1) 支出交際費等の額

72,000＋240,000＋50,000＋1,250,000＋240,000＋100,000＝1,952,000

(2) 損金不算入額

1,952,000－1,250,000×50％＝1,327,000

2　寄附金の損金不算入額

(1) 支出寄附金の額＜区分２＞

　　　　　　　　　　災害

① 指定等　　200,000

　　　　　　　　　　支援機構

② 特　定　　300,000

　　　　　　　　　　会議所

③ その他　　150,000

④ 合　計　　①＋②＋③＝650,000

(2) 損金算入限度額

① 特別損金算入限度額

$$\{200,000,000 \times \frac{12}{12} \times \frac{3.75}{1,000} + (21,000,000 + 650,000) \times \frac{6.25}{100}\} \times \frac{1}{2} = 1,051,562 \boxed{2}$$

② 一般寄附金の損金算入限度額

$$\{200,000,000 \times \frac{12}{12} \times \frac{2.5}{1,000} + (21,000,000 + 650,000) \times \frac{2.5}{100}\} \times \frac{1}{4} = 260,312$$

(3) 損金不算入額＜形式２＞

　　　　　　指　定　　※　　**一般限度**

650,000－200,000－300,000－260,312＜0　　　∴　　0

　　　　特　定　　**特別限度**

※　300,000＜1,051,562　　∴　300,000

3　その他

(1) 附帯税等

15,000＋2,500＝17,500

(2) 会館建設負担金（繰延資産）

$$250,000 - 250,000 \times \frac{6}{10 \times 12} = 237,500$$
　　　　　　　　　　　　　※

※　$50年 \times \frac{7}{10} = 35年 ＞ 10年$　　∴　10年

(3) 加入金（繰延資産）

$$300,000 - 300,000 \times \frac{10}{5 \times 12} = 250,000$$

問題10 解答

【別表四　所得の金額の計算に関する明細書】　　　　　　　　　　　　　　　　（単位：円）

区　　分		総　額	留　保		社外流出	
加算	損金経理法人税等	8,800,000	8,800,000	1		
	損金経理住民税	1,900,000	1,900,000	1		
	損金経理納税充当金	12,000,000	12,000,000	1		
	損金経理附帯税等	17,500			17,500	1
	交際費等の損金不算入額	1,327,000			1,327,000	1
	積立保険料計上もれ	2,200,000	2,200,000	1		
	繰延資産償却超過額（負担金）	237,500	237,500	1		
	繰延資産償却超過額（加入金）	250,000	250,000	1		
	前期仮払交際費否認	150,000	150,000	1		
	ゴルフクラブ入会金計上もれ	800,000	800,000	1		
減算	納税充当金支出事業税等	3,800,000	3,800,000	1		
	仮払寄附金認定損	300,000	300,000	1		
	仮払交際費認定損	50,000	50,000	1		
仮　　　計		21,000,000				
寄附金の損金不算入額						

【別表五(一)　I　利益積立金額の計算に関する明細書】　　　　　　　　　　（単位：円）

I　利益積立金額の計算に関する明細書						
区　　分		期首現在利益積立金額	当期の増減			差引翌期首現在利益積立金額
			減	増		
納税充当金		16,000,000	16,000,000 ①	12,000,000		12,000,000 ①
未納法人税等	未納法人税等	△10,500,000 ①	△19,300,000	中間 △8,800,000 ①		
	未納住民税	△1,700,000	△3,600,000 ①	中間 △1,900,000		

【配　点】　　1×22カ所　　2×14カ所　　合計50点

1．問題形式

本問は、過去の本試験の出題形式をモデルにしている。本試験においては様々な形式の問題が出題されているため、解答形式に応じて柔軟に対応できるようにしてほしい。

2．減価償却資産

(1) 不動産取得税は取得価額に算入しないことができる費用であるのに対して、関税は取得価額に算入しなければならない。

また、関税を費用計上しているため、償却費として損金経理した金額に含めて償却超過額として加算すること。

(2) 機械装置については、増加償却割合（1,000分の35にその事業年度におけるその機械装置の1日当たりの超過使用時間数を乗じて計算した割合（小数点2位未満切上げ））が100分の10以上であるため、増加償却の適用がある。

(3) 器具備品B・C

250％定率法と200％定率法は異なるものとされ、グルーピングは行わない。

(4) ソフトウエア

ソフトウエアは無形減価償却資産であるため、定額法により償却を行う。

3．交換の圧縮記帳

(1) 交換の圧縮記帳の計算パターンは次のとおりである。

① 判　定

　　時価の差額≦多い方の時価×20％　　∴　適用あり

② 譲渡経費の按分　⇦　2以上の資産を交換した場合

$$共通経費×\frac{個々の譲渡資産の時価}{譲渡資産の時価合計額}$$

③ 圧縮限度額

　イ　交換差金等を取得した場合（**本問では土地**）

$$取得資産\\の時価-\left[\begin{matrix}譲渡資産の\\譲渡直前の簿価\end{matrix}+譲渡経費\right]×\frac{取得資産の時価}{取得資産の時価+取得交換差金の額}$$

　ロ　交換差金等を支出した場合（**本問では建物**）

$$取得資産\\の時価-\left[\begin{matrix}譲渡資産の\\譲渡直前の簿価\end{matrix}+譲渡経費+\begin{matrix}支払交換\\差金の額\end{matrix}\right]$$

④ 圧縮超過額

$$会社計上\\圧縮額-\begin{matrix}圧縮\\限度額\end{matrix}=\begin{cases}(-)\ 圧縮不足額\quad 処理なし\\(+)\ 圧縮超過額\begin{cases}土地⇨土地圧縮超過額又は土地計上\\もれ（加・留）\\減価償却資産⇨償却計算に織り込む\end{cases}\end{cases}$$

⑤　減価償却限度額

(本来の取得価額−圧縮損金算入額)×償却率×$\dfrac{X}{12}$

⑥　減価償却超過額

(会社計上の償却費＋圧縮超過額)−減価償却限度額＝(加・留)

(2)　2以上の種類の固定資産を同時に交換した場合には、資産の種類の異なるものごとに別々に交換したものとして、時価の差が20％以内かどうかの判定を行う。したがって、土地と建物の判定は別々に行うことに注意すること。

(3)　2以上の種類の固定資産を同時に交換した場合には、全体としては等価交換であっても、資産ごとの時価の差がそれぞれの資産における交換差金等とされる。本問では、土地については交換譲渡資産の時価の方が大きいため「交換差金等を取得した場合」に該当し、建物については交換譲渡資産の時価の方が小さいので「交換差金等を支出した場合」に該当する。

(4)　2種類以上の資産を交換した場合には、譲渡経費は譲渡資産の時価の比により按分する。

(5)　交換取得資産に交換譲渡資産の帳簿価額をそのまま付している場合(付替経理)では、交換取得資産の時価と会社が付した簿価(すなわち譲渡資産の簿価)との差額が会社が計上した圧縮損となる。

4．役員給与

(1)　みなし役員等の判定については「使用人以外の者で経営に従事」「常時使用人職務に従事」「経営に従事」のコメントを書き忘れないように。

なお、Jの所有割合は5％のため、5％超基準は満たさない。

また、Kはみなし役員には該当しないが、取締役の親族のため特殊関係使用人に該当し、給与のうち不相当に高額な部分の金額は、法人税法第36条により損金不算入とされる。

(2)　Iに対する賞与については届出が期限までにされていないため、支出額の全額が法人税法第34条第1項により損金不算入となる。

(3)　海外視察旅行のうち業務に従事していない部分は役員給与となる。この場合、定期同額給与等以外の給与等に該当するため、法人税法第34条第1項により損金不算入となる。

(4)　法人税法第34条第2項の計算では、法人税法第34条第1項で損金不算入となったものは除外する。

また、実質基準の計算については、みなし役員も対象となるが、形式基準の場合にはみなし役員は対象とならない。

なお、形式基準の計算に際して、使用人兼務役員の使用人分給与を含めないで限度額を定めている場合には、使用人分給与の実際支給額と類似使用人給与のいずれか少ない金額を控除して損金不算入額の計算をすることとなる。

本問においては、Jに対する報酬のうち使用人分2,100,000円及び賞与が使用人職務としての相当額であるため、形式基準の計算上控除されることとなる。

5．その他の費用等

(1) 従業員全員を対象とする養老保険で保険金の受取人が甲社となっていることから、保険料の全額が資産計上される。

(2) 同業者団体の通常会費は損金の額に算入されるが、ゴルフクラブの年会費等（会員権が資産計上されたもの）及びロータリークラブの年会費、ロータリークラブの入会金は交際費等の額に含まれる。

(3) 利子税及び納期限延長の延滞金は損金の額に算入されるが、延滞税と納付遅延の延滞金は損金不算入とされる。

(4) 寄附金の認識時点はその支出があった時点であるため、仮払寄附金の額は当期の寄附金に該当する。

(5) 独立行政法人日本学生支援機構に対する寄附金のうち、経常経費に充てられるものは特定公益増進法人等に対する寄附金に該当する。

(6) 交際費等は、接待行為等があった時点で認識される。したがって、仮払交際費等は接待行為等のあった事業年度の交際費等に該当する。

(7) 法人会員として入会した場合、ゴルフクラブ入会金及び名義書換料は原則的に資産計上される。

(8) 同業者団体に対する支出（繰延資産）

① 同業者団体に対して支出した会館建設負担金は自己が便益を受ける共同的施設の設置又は改良のために支出する費用に該当し、負担者の属する協会等の本来の用に供される会館等の建設負担金の償却期間は次のようになる。

> 耐用年数の10分の7
> 10年　　　　　　　　いずれか少ない方の年数

また、本問においては建設が開始された10月からの6ヶ月で月数按分することとなる。

支出日の特例（基通8-3-5）

> 固定資産を利用するための繰延資産となるべき費用を支出した場合において、その固定資産が建設等に着手されていないときは、建設等に着手した時から償却する。

② 同業者団体等の加入金のうち、構成員としての地位を譲渡できるもの及び出資の性質を有するものは、繰延資産とはされず、譲渡又は脱退するまで損金の額に算入されないが、本問における加入金はこれには該当しないため、償却期間が5年の繰延資産に該当する。

税理士受験シリーズ

2025年度版　12　法人税法　総合計算問題集　基礎編

（平成20年度版　2007年10月15日　初版　第1刷発行）

2024年10月17日　初　版　第1刷発行

編　著　者	Ｔ　Ａ　Ｃ　株　式　会　社	
	（税理士講座）	
発　行　者	多　　田　　敏　　男	
発　行　所	ＴＡＣ株式会社　出版事業部	
	（ＴＡＣ出版）	

〒101-8383
東京都千代田区神田三崎町3-2-18
電話 03 (5276) 9492 (営業)
ＦＡＸ 03 (5276) 9674
https://shuppan.tac-school.co.jp

印　　　刷	株式会社　ワ　コ　ー	
製　　　本	株式会社　常　川　製　本	

© TAC 2024　　　Printed in Japan

ISBN 978-4-300-11312-7
N.D.C. 336

乱丁・落丁による交換、および正誤のお問合せ対応は、該当書籍の改訂版刊行月末日までといたします。なお、交換につきましては、書籍の在庫状況等により、お受けできない場合もございます。
また、各種本試験の実施の延期、中止を理由とした本書の返品はお受けいたしません。返金もいたしかねますので、あらかじめご了承くださいますようお願い申し上げます。

2025年合格目標コース

反復学習でインプット強化! ＆ 豊富な演習量で実践力強化!

対象者：初学者／次の科目の学習に進む方

2024年				2025年							
9月	10月	11月	12月	1月	2月	3月	4月	5月	6月	7月	8月

9月入学 基礎マスター＋上級コース（簿記・財表・相続・消費・酒税・固定・事業・国徴）
3回転学習！年内はインプットを強化、年明けは演習機会を増やして実践力を鍛える！
※簿記・財表は5月・7月・8月・10月入学コースもご用意しています。

9月入学 ベーシックコース（法人・所得）
2回転学習！週2ペース、8ヵ月かけてインプットを鍛える！

9月入学 年内完結＋上級コース（法人・所得）
3回転学習！年内はインプットを強化、年明けは演習機会を増やして実践力を鍛える！

12月・1月入学 速修コース（全11科目）
7ヵ月～8ヵ月間で合格レベルまで仕上げる！

3月入学 速修コース（消費・酒税・固定・国徴）
短期集中で税法合格を目指す！

税理士試験

対象者：受験経験者（受験した科目を再度学習する場合）

2024年				2025年							
9月	10月	11月	12月	1月	2月	3月	4月	5月	6月	7月	8月

9月入学 年内上級講義＋上級コース（簿記・財表）
年内に基礎・応用項目の再確認を行い、実力を引き上げる！

9月入学 年内上級演習＋上級コース（法人・所得・相続・消費）
年内から問題演習に取り組み、本試験時の実力維持・向上を図る！

12月入学 上級コース（全10科目）
※住民税の開講はございません
講義と演習を交互に実施し、答案作成力を養成！

税理士試験

※2024年7月12日時点の情報です。最新の情報は、TAC税理士講座ホームページをご確認ください。

"入学前サポート"を活用しよう!

無料セミナー&個別受講相談

無料セミナーでは、税理士の魅力、試験制度、科目選択の方法や合格のポイントをお伝えしていきます。セミナー終了後は、個別受講相談でみなさんの疑問や不安を解消します。

TAC 税理士 セミナー

https://www.tac-school.co.jp/kouza_zeiri/zeiri_gd_gd.htm

無料Webセミナー

TAC動画チャンネルでは、校舎で開催しているセミナーのほか、Web限定のセミナーも多数配信しています。受講前にご活用ください。

TAC 税理士 動画

https://www.tac-school.co.jp/kouza_zeiri/tacchannel.html

体験入学

教室講座開講日(初回講義)は、お申込み前でも無料で講義を体験できます。講師の熱意や校舎の雰囲気を是非体感してください。

TAC 税理士 体験

https://www.tac-school.co.jp/kouza_zeiri/zeiri_gd_gd.htm

税理士11科目 Web体験

「税理士11科目Web体験」では、TAC税理士講座で開講する各科目・コースの初回講義をWeb視聴いただけるサービスです。講義の分かりやすさを確認いただき、学習のイメージを膨らませてください。

TAC 税理士

https://www.tac-school.co.jp/kouza_zeiri/taiken_form.html

税理士講座のご案内

チャレンジコース

受験経験者・独学生待望のコース!

4月上旬開講!

開講科目	簿記・財表・法人 所得・相続・消費

基礎知識の底上げ × **徹底した本試験対策**

チャレンジ講義 + チャレンジ演習 + 直前対策講座 + 全国公開模試

受験経験者・独学生向けカリキュラムが 一つのコースに!

※チャレンジコースには直前対策講座（全国公開模試含む）が含まれています。

直前対策講座

5月上旬開講!

本試験突破の最終仕上げ!

直前期に必要な対策が すべて揃っています!

学習 メディア	教室講座・ビデオブース講座 Web通信講座・DVD通信講座・資料通信講座

\ 全11科目対応 /

開講科目	簿記・財表・法人・所得・相続・消費 酒税・固定・事業・住民・国徴

徹底分析!「試験委員対策」

即時対応!「税制改正」

毎年的中!「予想答練」

※直前対策講座には全国公開模試が含まれています。

チャレンジコース・直前対策講座ともに詳しくは2月下旬発刊予定の
「チャレンジコース・直前対策講座パンフレット」をご覧ください。

会計業界への就職・転職支援サービス

TPB

TACの100%出資子会社であるTACプロフェッションバンク（TPB）は、会計・税務分野に特化した転職エージェントです。勉強された知識とご希望に合ったお仕事を一緒に探しませんか？ 相談だけでも大歓迎です！ どうぞお気軽にご利用ください。

人材コンサルタントが無料でサポート

Step1 相談受付
完全予約制です。HPからご登録いただくか、各オフィスまでお電話ください。

Step2 面談
ご経験やご希望をお聞かせください。あなたの将来について一緒に考えましょう。

Step3 情報提供
ご希望に適うお仕事があれば、その場でご紹介します。強制はいたしませんのでご安心ください。

正社員で働く

- 安定した収入を得たい
- キャリアプランについて相談したい
- 面接日程や入社時期などの調整をしてほしい
- 今就職すべきか、勉強を優先すべきか迷っている
- 職場の雰囲気など、求人票でわからない情報がほしい

TACキャリアエージェント

https://tacnavi.com/

派遣で働く（関東のみ）

- 勉強を優先して働きたい
- 将来のために実務経験を積んでおきたい
- まずは色々な職場や職種を経験したい
- 家庭との両立を第一に考えたい
- 就業環境を確認してから正社員で働きたい

TACの経理・会計派遣

https://tacnavi.com/haken/

※ご経験やご希望内容によってはご支援が難しい場合がございます。予めご了承ください。　※面談時間は原則お一人様30分とさせていただきます。

自分のペースでじっくりチョイス

正社員・アルバイトで働く

- 自分の好きなタイミングで就職活動をしたい
- どんな求人案件があるのか見たい
- 企業からのスカウトを待ちたい
- WEB上で応募管理をしたい

Webで

TACキャリアナビ

https://tacnavi.com/kyujin/

就職・転職・派遣就労の強制は一切いたしません。会計業界への就職・転職を希望される方への無料支援サービスです。どうぞお気軽にお問い合わせください。

 TACプロフェッションバンク

■ 有料職業紹介事業 許可番号13-ユ-010678　■ 一般労働者派遣事業 許可番号（派）13-010932
■ 特定募集情報等提供事業 届出受理番号51-募-000541

東京オフィス
〒101-0051
東京都千代田区神田神保町 1-103
東京パークタワー 2F
TEL.03-3518-6775

大阪オフィス
〒530-0013
大阪府大阪市北区茶屋町 6-20
吉田茶屋町ビル 5F
TEL.06-6371-5851

名古屋 登録会場
〒453-0014
愛知県名古屋市中村区則武 1-1-7
NEWNO 名古屋駅西 8F
TEL.0120-757-655

10860572

TAC出版では、独学用、およびスクール学習の副教材として、各種対策書籍を取り揃えています。学習の各段階に対応していますので、あなたのステップに応じて、合格に向けてご活用ください!

（刊行内容、発行月、装丁等は変更することがあります）

●2025年度版 税理士受験シリーズ

税理士試験において長い実績を誇るTAC。このTACが長年培ってきた合格ノウハウを"TAC方式"としてまとめたのがこの「税理士受験シリーズ」です。近年の豊富なデータをもとに傾向を分析、科目ごとに最適な内容としているので、トレーニング演習に欠かせないアイテムです。

※暗記音声はダウンロード商品です。TAC出版書籍販売サイト「サイバーブックストア」にてご購入いただけます。

●2025年度版 みんなが欲しかった！税理士 教科書＆問題集シリーズ

［効率的に税理士試験対策の学習ができないか？ これを突き詰めてできあがったのが、「みんなが欲しかった！税理士 教科書＆問題集シリーズ」です。必要十分な内容をわかりやすくまとめたテキスト（教科書）と内容確認のためのトレーニング（問題集）が1冊になっているので、効率的な学習に最適です。］

●解き方学習用問題集

現役講師の解答手順、思考過程、実際の書込みなど、㊙テクニックを完全公開した書籍です。

●その他関連書籍

好評発売中！

TACの書籍は
こちらの方法でご購入
いただけます

1 全国の書店・大学生協　　**2** TAC各校 書籍コーナー

3 CYBER TAC出版書籍販売サイト **BOOK STORE** アドレス https://bookstore.tac-school.co.jp/

・2024年7月現在　・年度版各巻の価格は、決定しだい上記**3**のサイバーブックストアに掲載されますのでご参照ください

書籍の正誤に関するご確認とお問合せについて

書籍の記載内容に誤りではないかと思われる箇所がございましたら、以下の手順にてご確認とお問合せをしてくださいますよう、お願い申し上げます。

なお、正誤のお問合せ以外の**書籍内容に関する解説および受験指導などは、一切行っておりません。**
そのようなお問合せにつきましては、お答えいたしかねますので、あらかじめご了承ください。

1 「Cyber Book Store」にて正誤表を確認する

TAC出版書籍販売サイト「Cyber Book Store」の
トップページ内「正誤表」コーナーにて、正誤表をご確認ください。

CYBER TAC出版書籍販売サイト
BOOK STORE

URL：https://bookstore.tac-school.co.jp/

2 1の正誤表がない、あるいは正誤表に該当箇所の記載がない
⇒ 下記①、②のどちらかの方法で文書にて問合せをする

★ご注意ください★

お電話でのお問合せは、お受けいたしません。
①、②のどちらの方法でも、お問合せの際には、「お名前」とともに、
「対象の書籍名（○級・第○回対策も含む）およびその版数（第○版・○○年度版など）」
「お問合せ該当箇所の頁数と行数」
「誤りと思われる記載」
「正しいとお考えになる記載とその根拠」
を明記してください。
なお、回答までに１週間前後を要する場合もございます。あらかじめご了承ください。

① ウェブページ「Cyber Book Store」内の「お問合せフォーム」より問合せをする

【お問合せフォームアドレス】

https://bookstore.tac-school.co.jp/inquiry/

② メールにより問合せをする

【メール宛先　TAC出版】

syuppan-h@tac-school.co.jp

※土日祝日はお問合せ対応をおこなっておりません。
※正誤のお問合せ対応は、該当書籍の改訂版刊行月末日までといたします。

乱丁・落丁による交換は、該当書籍の改訂版刊行月末日までといたします。なお、書籍の在庫状況等により、お受けできない場合もございます。
また、各種本試験の実施の延期、中止を理由とした本書の返品はお受けいたしません。返金もいたしかねますので、あらかじめご了承くださいますようお願い申し上げます。

（2022年7月現在）

答案用紙の使い方

　この冊子には、答案用紙がとじ込まれています。下記を参照にご利用ください。

STEP 1

　一番外側の色紙（本紙）を残して、答案用紙の冊子を取り外してください。

冊子を取り外す

STEP 2

　取り外した冊子の真ん中にあるホチキスの針は取り外さず、冊子のままご利用ください。

● 作業中のケガには十分お気をつけください。
● 取り外しの際の損傷についてのお取り替えはご遠慮願います。

答案用紙はダウンロードもご利用いただけます。
TAC出版書籍販売サイト、サイバーブックストアにアクセスしてください。

| TAC出版 | 検索 |

税理士受験シリーズ **12**

法人税法　総合計算問題集　基礎編

別　冊　答　案　用　紙

目　　次

| 問題1 | ＜答案用紙＞ | 解答時間 | ／40分 | 自己採点 | ／50点 |

（所得金額の計算）

区　　　分	金　　額
当 期 純 利 益	円
加　　　算	
小　　　計	

区　　　　　分	金　　額
減　　　算	
小　　　計	
仮　　　　　計	
合　　　　　　　計	
差　　引　　　　計	
総　　　　　　　計	
所　得　金　額	

計　　算　　過　　程	（単位：円）

（附帯税等）

（交通費等）

（減価償却）

計　算　過　程	（単位：円）

（受取配当等の益金不算入額）

（法人税額控除所得税額）

（寄附金）

（法人税額の計算）

区　　　　　分	税率	金　　額	計　算　過　程　（単位：円）
所　得　金　額	％	円	（特定機械装置等の特別控除）
税額計算　(1)　年800万円相当額			
(2)　年800万円超過額			
（千円未満切捨）			
法　人　税　額			
法　人　税　額　計			
差引所得に対する法人税額 （百円未満切捨）			
差引確定法人税額			

問題2	<答案用紙>	解答時間	／40分	自己採点	／50点

1. 所得金額の計算

区　　　分	金　　額
当　期　純　利　益	円
加		
算		
小　　　計	

区　　　分	金　　額
減		
算		
小　　　計	
仮　　　計	
合　　　計	
差　引　計	
総　　　計	
所　得　金　額	

摘　要　記　入　欄		（単位：円）

（最終行）

（解答欄）

計 算 過 程	（単位：円）

（特別償却準備金）

（収用等）

（受取配当等の益金不算入額）

（控除対象外国法人税額）

2. 法人税額の計算

区　　　　　　　分	税率	金　　額	計　算　過　程　（単位：円）
所　得　金　額	％	円	（控除外国税額）
税額計算			
法　人　税　額			
差引確定法人税額			

| 問題３ | ＜答案用紙＞ | 解答時間 | ／50分 | 自己採点 | ／50点 |

1．所得金額の計算

区　　分	金　額		区　　分	金　額
当　期　純　利　益	円	減		
加				
算		算		
			小　　計	
			仮　　計	
		合　　　　　計	
		差　引　計	
		総　　　計	
小　　計			所　得　金　額	

計　　算　　過　　程	（単位：円）
（附帯税等） （貸倒引当金）	

計　算　過　程	（単位：円）

（減価償却）

（保険差益）

計　　算　　過　　程	（単位：円）

（受取配当等の益金不算入額）

（法人税額控除所得税額）

計 算 過 程	（単位：円）
（繰延資産）	

2. 法人税額の計算

区　　　　　分	税率	金　　額	計 算 過 程 （単位：円）
所 得 金 額	％	円	
税額計算			
法 人 税 額			
差 引 確 定 法 人 税 額			

| 問題４ | ＜答案用紙＞ | 解答時間 | ／60分 | 自己採点 | ／50点 |

（所得金額の計算）

区　　分	金　　額
当 期 純 利 益	円
加　　算	
小　　計	

区　　分	金　　額
減　　算	
小　　計	
仮　　計	
合　　計	
差　引　計	
総　　計	
所 得 金 額	

計　算　過　程	（単位：円）

（附帯税等）

（圧縮記帳）

（減価償却）

計　算　過　程	（単位：円）

（特別償却準備金）

（受取配当等の益金不算入額）

（法人税額控除所得税額）

計　算　過　程	（単位：円）

（有価証券）

（収用等の特別控除）

（交際費等）

（法人税額の計算）

区　　　　　　分		金　　額	計　算　過　程　（単位：円）
所　　得　　金　　額		円	
内 訳	年800万円相当額　①		
	年800万円超過額 （千円未満切捨）　②		
税 額	① × （　　　　）％		
	② × （　　　　）％		
	法　　人　　税　　額		
法　　人　　税　　額　　計			
差引所得に対する法人税額 （百円未満切捨）			
差　引　確　定　法　人　税　額			

（別表5（一）のI）

区　　分	期首利益積立金額 ①	当期の増減 減 ②	当期の増減 増 ③	差引翌期首現在利益積立金額 ④
利 益 準 備 金	10,000,000円	円	円	10,000,000円
別 途 積 立 金	30,000,000			30,000,000
ソ フ ト ウ ェ ア	443,625			
器 具 備 品 D	168,644			
特 別 償 却 準 備 金	1,575,000			
特別償却準備金積立	△1,575,000			
特別償却準備金積立超過	525,000			
仮 払 交 際 費	△265,000			
繰 越 損 益 金	419,250,000	419,250,000	544,465,085	544,465,085
納 税 充 当 金	53,462,000			
未納法人税等　未納法人税及び未納地方法人税	△42,700,000	△	中間 △ 確定 △	△
未納法人税等　未納住民税	△5,000,000	△	中間 △ 確定	
差 引 合 計 額	465,884,269			

| 問題５ | ＜答案用紙＞ | 解答時間 | ／65分 | 自己採点 | ／50点 |

【別表４】

区　　　分	金　　額	
	総　　額	留　　保
当 期 純 利 益	円	円
加 算		
小　　　　　　　計		

区　　　　分	金　　額	
	総　　額	留　　保
減 算		
小　　　　　　　　計		
仮　　　　　　　　計		
合　　　　　　　　計		
差　　　　引　　　　計		
総　　　　　　　　計		
所　　得　　金　　額		

計　　算　　過　　程	（単位：円）

（同族会社の判定）

（特定同族会社の判定）

（役員等の判定）

（役員給与）

計　算　過　程	（単位：円）

（附帯税等）

（受取配当等）

（外国子会社）

（法人税額控除所得税額）

（減価償却）

計　算　過　程	（単位：円）

（寄附金）

（交際費等）

【別表１】

区　　　　　　　分	金　　額	計　算　過　程　（単位：円）
所　得　金　額	円	（留保金課税）
内訳　年800万円相当額　①		
年800万円超過額（千円未満切捨）　②		
税　①　　×　　　％		
額　②　　×　　　％		
法　人　税　額		
法　人　税　額　計		
差引所得に対する法人税額（百円未満切捨）		
差引確定法人税額		

【別表5（一）のI】

区　　分	期首利益積立金額	当期の増減		差引翌期首現在利益積立金額
		減	増	
	①	②	③	④
利 益 準 備 金	40,000,000円	円	円	40,000,000円
別 途 積 立 金	35,000,000			35,000,000
繰 越 損 益 金	30,000,000	30,000,000	71,174,072	71,174,072
納 税 充 当 金				
未納法人税等　未納法人税及び未納地方法人税	△	△	中間　△	
			確定	
未納法人税等　未 納 住 民 税	△	△	中間　△	
			確定	
差 引 合 計 額				

【別表5（二）】

科目・事業年度		期首現在未納税額	当期発生税額	当期中の納付税額			期末現在未納税額
				充当金取崩しによる納付	仮払経理による納付	損金経理による納付	
法人税等	前期分	円		円	円	円	円
	当期分 中間		円				
	当期分 確定		（記入不要）				（記入不要）
住民税	前期分						
	当期分 中間						
	当期分 確定		（記入不要）				（記入不要）
事業税	前期分						
	当期中間分						

納税充当金の計算						
期首納税充当金		円	取崩額	その他	損金算入	円
繰入額	損金経理をした納税充当金				損金不算入	
	計				仮払税金消却	
取崩額	法人税等				計	
	事業税		期末納税充当金			

| 問題6 | ＜答案用紙＞ | 解答時間 | ／60分 | 自己採点 | ／50点 |

1．所得金額の計算

区　分	金　額
当 期 純 利 益	円
加	
算	
小　　計	

区　分	金　額
減 算	
小　　計	
仮　　計	
合　　計	
差　引　計	
総　　計	
所 得 金 額	

計　算　過　程	（単位：円）

（買換え）

（減価償却）

計　算　過　程	（単位：円）

（更新料）

（控除対象外国法人税額）

（有価証券）

（前払利息）

（未収利息）

2．法人税額の計算

区　　　　分	金　額	計　算　過　程　（単位：円）
所　得　金　額	円	（控除外国税）
同上の内訳　年800万円以下の金額（千円未満切捨）①		
同上の内訳　年800万円超過額（千円未満切捨）②		
税　①　×　15%		
額　②　×　23.2%		
法　人　税　額		
差　引　確　定　法　人　税　額		

| 問題７ | ＜答案用紙＞ | 解答時間 | ／65分 | 自己採点 | ／50点 |

損益計算書（原案）に対する当期純利益の額の修正　　　　　　　　　　　　　（単位：円）

区　　　　　分	加減	調　整　額
損益計算書（原案）の「当期純利益」	＋	515,878,140
未　払　法　人　税　等	－	
修正後の「当期純利益」		

計　算　過　程	（単位：円）
（保険差益）	
（減価償却）	

計　　算　　過　　程	（単位：円）

（交際費等）

（貸倒損失）

（貸倒引当金）

（繰延資産）

（控除対象外国法人税額）

1．所得金額の計算

区　　　分	金　　　額	区　　　分		金　　　額
当 期 純 利 益	円			
加　　　算		減　　　算		
		小　　　計		
		仮　　　計		
		合　　　　　計		
		差　　引　　計		
		総　　　　　計		
小　　　計		所 得 金 額		

2. 法人税額の計算

区　分	税率	金　額
所　得　金　額	％	円
税額計算		
法　人　税　額		
法　人　税　額　計		
差引所得に対する法人税額（百円未満切捨）		
差　引　確　定　法　人　税　額		

計　算　過　程　　　　　　（単位：円）
（給与等の支給額が増加した場合の法人税額の特別控除）

計　算　過　程	（単位：円）

（控除外国税額）

（留保金課税）

計　算　過　程	（単位：円）

問題8	＜答案用紙＞	解答時間	／70分	自己採点	／50点

損益計算書（原案）に対する当期純利益の額の修正　　　　　　　　　　　　　（単位：円）

区　　　分	加減	調　整　額
損益計算書（原案）の「当期純利益」	＋	89,200,000
修正後の「当期純利益」		

【計算過程】(1)　　　　　　（単位：円）

[外貨建資産等]

[有価証券]

【計算過程】(2)　　　　　　（単位：円）

[受取配当等の益金不算入額]

【計算過程】(3)　　　　　　　　（単位：円）

［法人税額控除所得税額］

［外国子会社配当］

【計算過程】(4)　　　　　　　　（単位：円）

［減価償却］

【計算過程】(5)　　　　　　　　（単位：円）

［貸倒引当金］

［交際費］

【計算過程】(6)　　　　　　　　（単位：円）

［寄附金］

［その他］

法人税申告書別表四（所得金額の計算）

区　　分	金　額	区　　分	金　額
当期純利益又は当期欠損の額	円		
加		減	
算		算	
		小　　計	
		仮　　計	
		寄附金の損金不算入額	
		法人税額控除所得税額	
		合　　計	
		差　引　計	
		総　　計	
小　　計		所　得　金　額	

法人税申告書別表一（法人税額の計算）　　　　　　　　　　　　　　　　　（単位：円）

区　　　分	金　　　額	【法人税額の計算】
所　得　金　額	円	(1) 年800万円相当額
法　人　税　額		
特　別　控　除　額		(2) 年800万円超過額
留保金 課　税　留　保　金　額		
同　上　に　対　す　る　税　額		(3) (1)＋(2)＝
法　人　税　額　計		
控　　除　　税　　額		
差引所得に対する法人税額		
中　間　申　告　分　の　法　人　税　額		
差　引　確　定　法　人　税　額		

| 問題9 | ＜答案用紙＞ | 解答時間 | ／60分 | 自己採点 | ／50点 |

問1　租税公課等に関する事項

【別表四　所得の金額の計算に関する明細書】　　　　　　　　　　　　　（単位：円）

	区　　分	総　　額	留　　保	社外流出
加算				
減算				

【別表五（一）　利益積立金額及び資本金等の額の計算に関する明細書】　　　　（単位：円）

I　利益積立金額の計算に関する明細書					
区　　分	期首現在利益積立金額	当期の増減			差引翌期首現在利益積立金額
		減	増		
納　税　充　当　金					
未納法人税等　未納法人税等	△	△	中間	△	
			確定		
未納住民税	△	△	中間	△	
			確定		
差　引　合　計　額					

問2　貸倒引当金に関する事項

【計算過程】 （単位：円）

1．個別貸倒引当金
2．一括貸倒引当金

【決算修正仕訳】 （単位：円）

借　　　　方		貸　　　　方	
項　　　　　目	金　　額	項　　　　　目	金　　額

【別表四　所得の金額の計算に関する明細書】 （単位：円）

	区　　　　分	総　　額	留　　保	社外流出
加算				
減算				

【別表五（一）　利益積立金額及び資本金等の額の計算に関する明細書】　　　　　　　（単位：円）

I　利益積立金額の計算に関する明細書			
区　　分	期 首 現 在 利益積立金額	当 期 の 増 減		差引翌期首現在 利益積立金額
		減	増	

問3　国庫補助金等に関する事項

【計算過程】　　　　　　　　　　　　　　　　　　　　　　　（単位：円）

【決算修正仕訳】　　　　　　　　　　　　　　　　　　　　（単位：円）

借　　　　　方		貸　　　　　方	
項　　　　目	金　　　額	項　　　　目	金　　　額

【別表四　所得の金額の計算に関する明細書】　　　　　　　　（単位：円）

	区　　　　分	総　　額	留　保	社外流出
加算				
減算				

【別表五（一）　利益積立金額及び資本金等の額の計算に関する明細書】　　　　　　　（単位：円）

I　利益積立金額の計算に関する明細書			
区　　分	期 首 現 在 利益積立金額	当 期 の 増 減		差引翌期首現在 利益積立金額
		減	増	

問４　減価償却資産等に関する事項

(1) 税務上の損金算入限度額　　　　　　　　　　　　　　　（単位：円）

1．建物Ｅ
2．構築物Ｄ
3．器具備品Ｆ

【決算修正仕訳】　　　　　　　　　　　　　　　　　　　　　　　（単位：円）

借　　　　方		貸　　　　方	
項　　　　目	金　　　額	項　　　　目	金　　　額

【別表四　所得の金額の計算に関する明細書】　　　　　　　　　　（単位：円）

	区　　　　　分	総　　額	留　　保	社外流出
加算				
減算				

【別表五（一）　利益積立金額及び資本金等の額の計算に関する明細書】　（単位：円）

I　利益積立金額の計算に関する明細書				
区　　　　分	期首現在利益積立金額	当　期　の　増　減		差引翌期首現在利益積立金額
		減	増	

問5　その他の経費に関する事項

【交際費等の損金不算入に係る計算過程】　　　　　　　　　　　　（単位：円）

※　当期の支出交際費等に該当しないものについては、その理由を述べること。

法人 総合 基礎　問題９－６

【決算修正仕訳】　　　　　　　　　　　　　　　　　　　　　　　　（単位：円）

借　　　　方		貸　　　　方	
項　　　目	金　　額	項　　　目	金　　額

【別表四　所得の金額の計算に関する明細書】　　　　　　　　　　（単位：円）

区　　　分		総　　額	留　　保	社外流出
加算				
減算				

【別表五（一）　利益積立金額及び資本金等の額の計算に関する明細書】　（単位：円）

I　利益積立金額の計算に関する明細書				
区　　　分	期首現在利益積立金額	当期の増減		差引翌期首現在利益積立金額
		減	増	

問題10	＜答案用紙＞	解答時間	／65分	自己採点	／50点

問1　　　　　　　　　　　　　　　　　　　　　　　　　　　　　　　　（単位：円）

計算過程及び検討

問1（続き）　　　　　　　　　　　　　　　　　　　　　　（単位：円）

計算過程及び検討

【別表四　所得の金額の計算に関する明細書】　　　　　　　　　　　（単位：円）

区　　　分		総　　額	留　保	社 外 流 出
加算				
減算				

【別表五（一）Ⅰ　利益積立金額の計算に関する明細書】　　　　　　（単位：円）

Ⅰ　利益積立金額の計算に関する明細書				
区　　分	期 首 現 在 利 益 積 立 金 額	当 期 の 増 減		差引翌期首現在 利 益 積 立 金 額
		減	増	

問2

（単位：円）

税務上調整すべき金額	計算過程及び検討

問3 (単位：円)

税務上調整すべき金額	計算過程及び検討
役員給与の損金不算入額 （第34条第1項） （第34条第2項） その他の損金不算入額	1 同族会社の判定 2 みなし役員及び使用人兼務役員の判定 (1) みなし役員の判定 (2) 使用人兼務役員の判定 3 法人税法第34条第1項による損金不算入額（計算式のみを示せばよい） 4 法人税法第34条第2項による損金不算入額（計算式のみを示せばよい） 5 法人税法第34条以外の損金不算入額（計算式のみを示せばよい）

問4　　　　　　　　　　　　　　　　　　　　　　　　　　　（単位：円）

計算過程及び検討
1　交際費等の損金不算入額
2　寄附金の損金不算入額
3　その他

法人　総合　基礎　問題10-6

【別表四　所得の金額の計算に関する明細書】　　　　　　　　　（単位：円）

区　　　分		総　　額	留　　保	社 外 流 出
加算	損金経理法人税等			
	損金経理住民税			
	損金経理納税充当金			
	損金経理附帯税等			
	交際費等の損金不算入額			
減算	納税充当金支出事業税等			
仮　　　　計		21,000,000		
寄附金の損金不算入額				

【別表五（一）Ⅰ　利益積立金額の計算に関する明細書】　　　　　（単位：円）

Ⅰ　利益積立金額の計算に関する明細書					
区　　分		期 首 現 在 利益積立金額	当 期 の 増 減		差引翌期首現在 利益積立金額
			減	増	
納税充当金					
未納法人税等	未納法人税等	△	△	中間 △	
	未納住民税	△	△	中間 △	

-54-